Le plan

au commencement du cinéma

Emmanuel Siety

Collection dirigée par Joël Magny et Frédéric Strauss

CAHIERS DU CINÉMA | les petits Cahiers | SCÉRÉN-CNDP

Avant-propos

On ne peut réfléchir sur les films et sur le cinéma en général sans rencontrer la notion de plan, et sans s'interroger à son sujet.

Pour deux raisons au moins le plan fait figure de commencement : parce qu'au commencement du cinéma, les films étaient constitués d'un plan unique, et parce qu'il faut bien commencer par tourner un plan pour faire un film.

Il existe une raison supplémentaire d'aborder la question du cinéma à travers la notion de plan : c'est que le plan concerne aussi bien le cinéaste que le spectateur. Il est une « pièce détachée » de la machine-film en cours de construction, mais une pièce apparente, vue par le spectateur lors de sa projection.

Le plan permet donc de poser au cinéma deux types de questions. Des questions relatives à son élaboration, abordées principalement dans le chapitre 2 : qu'est-ce que « faire » un plan ? Qu'est-ce qui peut pousser un cinéaste à tel choix plutôt que tel autre (qu'il s'agisse de l'emplacement de la caméra, de l'éclairage, du son ou du jeu des acteurs) ? Et des questions relatives à sa qualité visuelle et sonore : qu'y a-t-il à voir et à décrire dans un plan ? Comment un plan produit-il du sens ? Comment fait-il avancer le récit ? A quel scénario de formes, de couleurs, de mouvements participe-t-il ? Le chapitre 3 apporte des éléments de réponse en s'attachant successivement à l'organisation visuelle du plan, au rapport image/son, à la temporalité du plan et à son rapport au film.

Deux chapitres critiques encadrent cette réflexion. Le premier chapitre définit l'objet « plan » et le confronte à un ensemble de cas de figures de problématiques qui restreignent son champ d'application. Le dernier chapitre porte sur le mot « plan » et son origine : *pourquoi* et *depuis quand* un plan s'appelle-t-il un « plan » ? Ces deux questions ouvrent la voie à une approche historique qui, à partir de l'étymologie, nous ramène au problème de la création : qu'est-ce qu'un plan, qu'est-ce que faire un plan quand ce plan s'appelle « vue », ou « tableau », ou « plan » ?

Cet ouvrage s'efforce de « mettre en scène » ces questions en associant à une étude plusieurs approches plus concrètes se faisant écho et s'enrichissant mutuellement : l'étude de documents relatifs au tournage d'un plan ; l'analyse de plans sans aucune considération relative à leur élaboration ; un montage de textes écrits principalement par des cinéastes interrogeant leur pratique.

Le cinéaste américain King Vidor
(1894-1982) à la table de montage. Le film : un
assemblage de fragments de pellicule.

Première partie

Chapitre 1

Reconnaissance

Le plan comme unité créée

Tournage et montage

Si nous voulons définir le plan rapidement, nous dirons simplement que la réalisation d'un film comporte deux grandes opérations : le tournage des plans et le montage des plans.

Plus précisément, lorsque nous voyons un film nous savons qu'il a fallu à un moment donné mettre de la pellicule dans une caméra, démarrer la caméra puis l'arrêter au bout d'un certain temps. Cette simple opération pouvait suffire à faire un film dans les premiers temps du cinéma, mais le plus souvent aujourd'hui elle doit être répétée un certain nombre de fois dans toute sortes de lieux, et pendant des semaines. On obtient ainsi une certaine quantité de pellicule impressionnée, constituée de l'ensemble des morceaux filmés jour après jour. Ces morceaux individualisables n'apparaîtront pas forcément tels quels dans le film : le monteur ne se contente pas d'en modifier l'ordre, il peut en supprimer certains ou les subdiviser en fragments plus petits et les éparpiller dans le film.

Ce dont nous sommes sûrs, en tout cas, c'est que tous les morceaux qui constituent le film ont été tournés à un moment ou un autre, puis sélectionnés, découpés et ajustés les uns aux autres. Ces morceaux, ces « blocs d'espace et de temps[1] », sont ce que nous appelons les plans d'un film.

L'anticipation du plan

Avant d'exister sur un écran, le film a existé à l'état de projet. De ce projet il subsiste souvent des traces écrites, parmi lesquelles bien souvent nous trouvons des projets de plans – plans écrits que nous ne retrouvons pas toujours dans le film terminé, mais qui ont été imaginés, pensés, prémédités, en amont et en *prévision* du tournage et du montage.

En consultant les documents préparatoires d'un film conservés en archives, on s'aperçoit que le « plan » en tant que tel participe d'une chaîne de fabrication, d'une organisation et d'une division du travail qui ont pu être, dans les grands studios d'Hollywood, extrêmement rigoureuses et contraignantes. Si ce qu'on appelle la « continuité dialoguée » consigne uniquement l'enchaînement de séquences et les dialogues sans aucune mention relative à leur organisation en plans, dans le « découpage technique » en revanche, les plans sont là, sommairement décrits et affectés d'un numéro qui permettra à l'équipe technique de s'y référer facilement au cours du tournage. Un autre document, le « plan de tournage », nous apprend comment ces plans

1. Philippe Dubois, « La question vidéo face au cinéma : déplacements esthétiques » in Frank Beau, Philippe Dubois, Gérard Leblanc (sous la direction de), *Cinéma et dernières technologies*, INA De Boeck université, Paris/Bruxelles, 1998.

Un instrument du monteur : la colleuse, grâce à laquelle sont assemblés les plans. De plus en plus, le montage devient une opération virtuelle : les fragments de films sont mis en mémoire dans un ordinateur, et manipulés au moyen d'une simple souris.

ont été répartis en journées de tournage, selon un ordre établi en fonction des disponibilités de chacun, des décors, des moyens techniques requis, etc. Le rapport de production et le rapport de la scripte nous permettent ensuite de suivre, jour après jour, le tournage proprement dit du film. Et là encore, les plans numérotés sont là. Pour chaque jour de tournage, nous savons quels ont été les plans tournés, le nombre de prises nécessaires à chacun d'eux, et éventuellement le nombre de plans « engrangés » depuis le début du tournage ou restant à tourner.

La précision des documents peut varier d'un film à l'autre. Nous les trouvons parfois assortis de notes et de corrections manuscrites, de croquis et de dessins. Il arrive aussi qu'un *storyboard* resserre davantage encore la forme du film à venir.

Confrontés au film, tous ces documents permettent une histoire de la gestation des plans – celle des plans prémédités, modifiés, déplacés, celle des plans non tournés ou tournés mais non montés, celle des prises écartées[1]. Mais leur existence même, et leur institutionnalisation, posent aussi question.

Si certains cinéastes comme Fritz Lang ou Alfred Hitchcock se montrent extrêmement soucieux de prévoir chaque plan dans le plus grand détail, d'autres au contraire revendiquent une importante marge de manœuvre au moment du tournage. Rossellini dénonce l'absurdité du scénario et en souligne la fonction purement économique[2] ; Jean-Luc Godard à son tour s'interroge sur l'étrange opération qui consiste à passer par l'écriture pour en venir à l'image, et se livre à un exercice étonnant : réaliser un scénario-film (*Scénario du film Passion*), à partir du film déjà réalisé. Sans arriver à cette extrêmité, Jacques Rivette a souvent élaboré le scénario de ses films au moment même du tournage et du montage : l'histoire du film est alors découverte dans l'acte même de sa création. Dans le cas du cinéma documentaire, le plan naît plus que jamais d'une confrontation directe au réel à partir d'un projet qui ne saurait être découpé plan par plan, puis d'une confrontation seconde, lors du montage, à l'ensemble des bouts de pellicule tournés – confrontation au cours de laquelle le projet du film doit être réinventé ou redécouvert.

Le découpage technique fait donc apparaître un autre aspect du plan, qui renvoie moins au bloc d'espace et de temps qu'à l'institution du cinéma comme économie «planifiée»[3] au sein des studios. Telle qu'elle s'est constituée historiquement, la notion de plan appartient de plein droit à cette économie. Faire un film, c'est donc prendre position par rapport à une organisation du travail instituée – s'en accommoder, la déjouer ou l'aménager, et ainsi décider du moment où la pensée précise des plans doit venir s'y inscrire, comme des modalités de son inscription.

1. Il existe plusieurs études de scénarios consacrées à cette question : voir la bibliographie en page 92.
2. Voir page 87.
3. Ce n'est pourtant pas là qu'il faut chercher l'origine du mot plan : nous y reviendrons dans le chapitre 4.

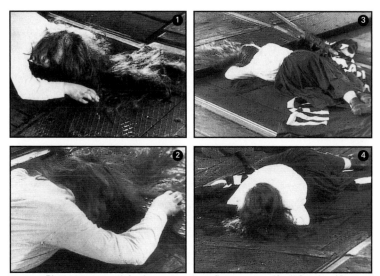

Photogrammes tirés de quatre plans fixes successifs d'*Octobre* (Serguei M. Eisenstein, 1927) : quatre points de vue, quatre scansions.

Le plan comme unité perçue

Le processus de fabrication est plus ou moins visible dans une œuvre d'art. Si l'envie saugrenue nous prenait de compter les coups de pinceaux dont est faite la Joconde, nous aurions bien du mal à la satisfaire : les traces du geste de l'artiste, les « touches » sont fondues dans l'œuvre et indécelables.

Au cinéma en revanche, le spectateur est en mesure d'identifier ce qui résulte du tournage et du montage : il *voit* les changements de plans. Il existe d'ailleurs de très nombreux exemples publiés de découpage de film *plan par plan*, effectués à la table de montage ou à l'aide d'un magnétoscope, simplement en regardant le film.

Jacques Aumont parle du changement de plan comme d'un « petit trauma visuel », et rappelle que les premiers spectateurs « ressentaient parfois les changements brusques comme une véritable agression,

L'Homme qui rétrécit (Jack Arnold, 1957). Superposition, grâce à la technique du travelling matte, d'une figure (l'homme) et d'un fond (la porte et le chat) filmés séparément : quand un homme filmé en plan d'ensemble rencontre un chat filmé en gros plan...

une monstruosité oculaire[1] ». Le changement de plan peut être brutal, mais, conforme ou non aux « lois » du raccord énoncées dans les grammaires du cinéma, il est le plus souvent quasi transparent. Si toutefois nous y prenons garde, si nous ne nous laissons pas « distraire » par le film, nous pouvons les voir.

Le plan n'est donc pas seulement une unité de fabrication du film : le plan est un moment du film identifié par le spectateur, une unité qui témoigne, dans le film, de l'acte de création du tournage et du montage.

On pourrait après tout parler du cinéma sans jamais parler de *plan* : il suffirait de parler de *l'image*. Mais l'image ne dit rien de ce qui s'est joué dans son élaboration. Au contraire, le plan incarne ce qui, dans le film,

1. Jacques Aumont, *L'œil interminable*, Séguier, Paris, 1989, p. 97.

renvoie à la réalité du tournage, à la présence réelle de l'espace et des corps placés devant la caméra et dont la pellicule aura relevé l'empreinte entre le déclenchement du moteur et son arrêt ; il renvoie à la durée de cette présence et aux coups de ciseaux du monteur qui tranchent dans cette durée, et fixent les limites temporelles du plan.

Complications : le plan composite

Le plan perçu correspond à l'unité de montage, c'est-à-dire au morceau de pellicule sélectionné et mis en place lors du montage, mais il est évident que nous percevons les «collures» qui le bordent pour autant que des changements surviennent dans l'image elle-même d'un plan à l'autre (un changement de point de vue, de décor…). Dans le cas le plus simple, celui considéré jusqu'à présent, le morceau de pellicule correspond à un moment unique du tournage, mais il se peut aussi que le plan perçu, le bloc homogène d'espace et de temps du plan perçu, résulte de la combinaison de plusieurs enregistrements distincts. C'est ce qui arrive dans trois familles de cas assez répandus :

1er cas : l'espace composite

Il arrive que ce qui, dans la fiction construite par le film, est censé être un espace unitaire et homogène, soit en réalité obtenu par juxtaposition et/ou superposition d'espaces distincts. Dès la première moitié du vingtième siècle, bien avant que les logiciels de traitement d'image fassent leur apparition, toutes sortes de procédés (surimpression, *travelling matte*, transparence, cache-contrecache…) permettaient déjà pareille opération. Décelés ou non, ces procédés rompent l'évidence du plan en tant que morceau de réalité, bloc homogène et indivisible, trace matérielle du tournage. Deux êtres peuvent se côtoyer sans s'être jamais rencontrés au tournage (par exemple l'homme miniaturisé et le chat de *L'Homme qui rétrécit*, ou deux personnages interprétés par un même acteur), et se promener en un lieu qu'ils n'ont jamais visité et qui n'existe même pas.

2ᵉ cas : le temps discontinu

Dans cette famille de cas, la durée supposée continue du plan est en réalité constituée de plusieurs fragments de temps mis bout à bout. Le « truc à manivelle » abondamment employé par Georges Méliès consiste ainsi à interrompre le défilement de la pellicule dans la caméra, le temps d'escamoter un corps, d'effectuer un changement de costume, de substituer un objet à un autre, etc. La coupe temporelle produit encore une très légère saute, mais dans le régime de fiction instauré par Méliès, elle est entièrement prise en charge par les corps et les objets : ce sont eux qui apparaissent, disparaissent et se transforment à l'intérieur d'un espace-temps supposé continu[1]. Réalisées numériquement, ces soudures temporelles sont en revanche impossibles à déceler.

1. Ce qu'on peut appeler un « plan » dans un film d'animation relève bien entendu de la même illusion de continuité temporelle. L'animation se fait image après image, et ne connaît pas l'enregistrement continu.

3ᵉ cas : l'opération plastique

Les outils informatiques per-

Invention d'un lieu hybride (*Les Oiseaux*, Alfred Hitchcock, 1963). A la partie supérieure du plan tourné a été substituée une peinture en trompe-l'œil filmée séparément (photo de gauche). La juxtaposition des deux moitiés d'image hétérogènes produit un espace cohérent et unitaire. Le spectateur non averti n'y voit que du feu : tous les trucages ne donnent pas dans le sensationnalisme.

mettent aujourd'hui d'effectuer une transformation plastique sur tout ou partie d'un plan tourné classiquement. L'événement plastique n'est pas homogène au moment du tournage, mais cela ne l'empêche pas, comme l'antique truc à manivelle, d'être littéralement incorporé au plan (pris en charge par un corps, celui par exemple de Jim Carrey dans The Mask).

Frontières du plan

Si nous voulons sauvegarder la notion de plan, en y incluant le cas très répandu du plan composite, il nous faut en modifier légèrement la définition. Au lieu de considérer le plan comme fragment tourné/monté de film, comme pièce de fabrication du film, nous devrons le considérer comme un bloc d'espace et de temps fictif, construit par le film. Mais cette définition ne couvre pas pour autant tout le champ du cinéma : comment en effet définir le plan d'un film quand un film est réalisé sans caméra (les films peints ou grattés sur pellicule de Stan Brakhage ou Len Lye, les fragments de pellicule exposés directement à la lumière par Man Ray dans son *Retour à la raison*) ou quand les percepts produits par le film ne permettent plus de discerner le percept singulier qu'est le changement de plan ? De nombreux films dit « expérimentaux » échappent ainsi à la notion de plan. Pour les étudier et en déceler la structure, il nous faut procéder autrement, inventer d'autres concepts mieux adaptés. Ces films échappent au cadre de cet ouvrage.

Le cas de la création vidéo est également problématique. On pourrait croire que vidéo et cinéma posent des questions similaires, puisqu'on peut très bien tourner un film en vidéo comme on le ferait avec de la pellicule et une caméra. En fait, comme le souligne Philippe Dubois, la vidéo permet des procédures de composition et de traitement d'images spécifiques (incrustation, mixage…) qui ne relèvent pas du montage de blocs d'espace-temps. Là encore, la notion de plan peut donc se révéler inopérante. A l'heure où les camescopes numériques sont de plus en plus couramment utilisés pour réaliser des films projetés en salle (voir les expériences récemment menées par Agnès Varda, Alain Cavalier, Philippe Grandrieux et Jean-Luc Godard), il sera intéressant de mesurer ce que la vidéo bouleverse dans cette pratique fondamentale du cinéma : la création de plans.

A l'intérieur même d'un cadre excluant vidéo et cinéma expérimental, le plan peut encore être ponctuellement tenu en échec par l'image : surimpressions et *split screens* (voir photo page 15), en produisant des juxtapositions et des superpositions d'espace-temps présentées comme telles, sont autant de butées du plan. Toujours à l'intérieur de ce cadre, la notion de bloc d'espace-temps est constamment confron-

Fanny Ardant et Gérard Depardieu au téléphone dans *La Femme d'à côté* (François Truffaut, 1981). L'écran est scindé en deux parties (*split-screen*). Deux images en une – combien de plans ?

tée à un rapport qui n'existait pas lorsque vers la fin des années 1900 le mot plan fit son apparition dans la sphère du cinéma : le rapport de l'image et du son. Faire un film parlant ne consiste pas seulement à tourner et monter des plans, mais à monter des images et des sons. Dans quelle mesure intégrons-nous le son dans l'espace-temps du plan ? Qu'advient-il du plan en cas de post-synchronisation, de voix off, ou lorsqu'une voix, un bruit, une musique se prolongent sur plusieurs plans ?

Peut-être parce qu'il incarne l'évidence du cinéma (tourner/monter), le plan se délite lorsqu'on cherche à englober dans sa définition trop de cas particuliers. Il est donc préférable de s'en tenir au cas fondamental du plan résultant de la découpe d'un moment unique du tournage. Dans la suite, nous considérerons comme partie prenante du plan tous les événements, tant visuels que sonores, survenant entre les deux collures.

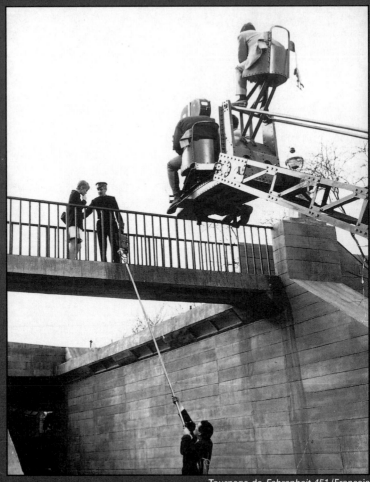

Tournage de *Fahrenheit 451* (François Truffaut, 1966) . Contraste entre un moment d'intimité (dans le film) et les moyens mis en œuvre pour le créer (caméra sur grue et prouesses du preneur de son).

Chapitre 2

Le plan comme relation

Tournage : le plan choral

Lorsqu'à la fin du dix-neuvième siècle les frères Lumière tournèrent leurs premiers films, le tournage était une entreprise à peu près aussi légère que peut l'être, pour un cinéaste amateur, l'utilisation de son camescope. La caméra était petite, facile à transporter, et les films étaient tournés à la lumière du jour. Le cinéaste, qu'on appelait alors un opérateur de prise de vues, pouvait être un voyageur solitaire.

Si une telle pratique est toujours possible (grâce aux caméras 16 mm, et plus récemment grâce à l'utilisation au cinéma de caméras DV), bien souvent le tournage d'un plan mobilise une équipe complète et des moyens techniques importants. Le cinéaste travaille le plus souvent avec un chef-opérateur responsable des réglages de la caméra et de l'agencement complexe des sources de lumière qui modèlent l'espace filmé ; l'ingénieur du son met en œuvre les moyens techniques nécessaires à la création de l'univers sonore du film, tandis que le preneur de son tient à bout de bras une perche au bout de laquelle est fixée un micro, veillant à se tenir suffisamment près des comédiens, tout en se maintenant hors du champ de vision de la caméra. Les mouvements et les réglages de la caméra, souvent lourde, nécessitent en général la participation de plusieurs techniciens, tout comme l'installation des sources de lumière.

Le cinéaste doit alors s'efforcer de coordonner un ensemble complexe, en ne cédant pas sur un désir qui peut parfois échapper à ceux qui concourent à sa réalisation.

La pensée d'un plan, pour un cinéaste, relève de sa capacité à créer les conditions de tournage les plus favorables à sa réalisation. Imaginer un plan, c'est choisir des outils en fonction de leur maniabilité, de leur poids, de leurs performances techniques, en fonction aussi de la temporalité de tournage qu'ils induisent (le cinéaste peut rechercher une rapidité d'exécution, mais il peut aussi se mesurer délibérément à un appareillage lourd) ; c'est choisir une équipe, et établir avec elle une relation, trouver les mots non pour dire son projet, mais pour en favoriser l'accomplissement. Par ces choix le cinéaste définit un espace de contrainte et de liberté qui informera le contenu même du plan.

La caméra, instrument d'un rapport au monde

Penser un plan, c'est penser au décor, aux personnages, au jeu des acteurs, à la lumière qui viendra sculpter les corps et l'espace, en souligner la géométrie ou au contraire l'organiser en degrés d'ombre et de lumière, etc. Toutes ces opérations sont néanmoins pensées en vue d'une seule opération : la confrontation d'une caméra à un espace et

Face-à-face direct entre le cinéaste et son actrice : David W. Griffith à la caméra.
Capture d'un état d'âme, moment de solitude – sous l'œil d'observateurs.

aux corps qui l'occupent. Quand le cinéaste utilise la caméra, il peut prendre un certain nombre de décisions, intervenir sur un ensemble de paramètres. Il peut orienter la caméra vers le haut (*contreplongée*) ou vers le bas (*plongée*). Il peut laisser la caméra immobile pendant toute la durée du plan, obtenant alors un « plan fixe », mais il peut aussi choisir de la bouger.

On distingue alors deux types de mouvement : le *travelling* et le *panoramique*. Le travelling est un mouvement de translation de la caméra (on parle de travelling avant, arrière, ou latéral) qui peut être effectué sur des rails « de travelling » préalablement posés, ou à l'aide d'un véhicule monté sur roues. Le panoramique est un mouvement de rotation de la caméra autour d'un axe vertical (la caméra balaye alors horizontalement l'espace de gauche à droite ou de droite à gauche) ou horizontal (la caméra s'incline alors du haut vers le bas ou inversement).

D'autres mouvements de caméra sont parfois identifiables par le spectateur sans nécessiter de documentation sur le tournage : les plans en caméra « portée à l'épaule » (en anglais : *handheld shots*, plans en caméra « tenue à la main »), qu'on reconnaît à l'instabilité du cadre qui en résulte, et les plans pris à la *steadycam*, caméra équipée d'un système de suspension complexe amortissant les chocs, qui offre une grande liberté de déplacement au cameraman et confère aux mouvements de caméra une fluidité toute particulière (les longs parcours du petit Danny à travers le labyrinthe et les couloirs de l'hôtel Overlook dans *Shining*, ont été filmés à la *steadycam*).

Le cinéaste peut encore influer sur d'autres paramètres : il peut ainsi exploiter les caractéristiques optiques de la caméra telles que le point de netteté, la distance focale, le zoom. Si la distance focale de l'objectif est longue[1], la plage de netteté sera très resserrée autour de ce point. Si la distance focale est très courte, la profondeur de champ sera suffisante pour que tous les objets situés dans le champ de la caméra, quelle que soit leur distance à l'objectif, restent nets.

La distance focale n'a pas seulement une incidence sur la profondeur de champ. La focale longue réduit le champ de vision, en rapprochant à la façon d'une longue vue la portion d'espace visée par la caméra. Elle tend également à tasser l'espace (filmé avec une longue focale, un personnage qui s'avance en direction de la caméra semble faire du sur-place). Le champ de vision de la caméra s'élargit d'autant plus que la distance focale est courte. L'espace se creuse, s'étire en profondeur ; dans les cas extrêmes, un objectif équipé d'une focale très courte entraîne une déformation convexe de l'image.

1. Si la distance focale est inférieure à 35 mm on parle de courte focale ; entre 35 mm et 50 mm on se situe dans les focales moyennes ; la distance focale des téléobjectifs peut aller jusqu'à 200 mm et plus (cf David Bordwell et Kristin Thompson, *L'art du film : une introduction*, (traduit de l'américain par Cyril Beghin), De Boeck Université, Bruxelles, 1999). La focale moyenne est ainsi nommée en raison de sa « neutralité » : si on regarde à travers le viseur d'une caméra équipée d'une focale moyenne, la taille des objets observés reste à peu près inchangée.

Jacques Perrin en marin romantique dans les rues de Rochefort : tournage des *Demoiselles de Rochefort* (Jacques Demy, 1967). Des rails de travelling ont été posés pour permettre un déplacement fluide de la caméra.

Enfin, depuis le début des années soixante, les caméras permettent d'effectuer des *zooms*, dits aussi « travellings optiques ». Le zoom permet de modifier en continu la distance focale de l'objectif, à la vitesse souhaitée par le cinéaste. Au cours d'un zoom avant (grossissement de l'image) la distance focale augmente ; elle diminue au contraire lors d'un zoom arrière (effet d'éloignement). Les déformations optiques consécutives à la variation de focale permettent en général au spectateur de différencier facilement un zoom d'un travelling avant ou arrière.

Une question que peut encore se poser le cinéaste est celle de la hauteur à laquelle il souhaite installer la caméra. Le cinéaste japonais Yasujiro Ozu, par exemple, est célèbre pour la position souvent très basse à laquelle il installe sa caméra pour filmer des corps eux-mêmes souvent assis autour de tables basses, donc au plus près du sol.

De gauche à droite : *Pather Panchali* (Satyajit Ray, 1955) et *Voyage à Tokyo* (Yasujiro Ozu, 1953). Femmes assises ou agenouillées. Satyajit Ray a opté pour une plongée dramatisante ; Ozu place sa caméra à la hauteur de ses personnages.

Plus rarement, à la recherche d'un effet dramatique et déstabilisant, un cinéaste décide de pencher sa caméra d'un côté ou de l'autre. C'est ainsi qu'Alfred Hitchcock filme le clocher fatal de *Vertigo*.

Pour n'être pas arbitraires, le choix d'un mouvement de caméra, d'une distance focale, etc., doivent participer de la mise en œuvre d'une relation pensée entre le cinéaste et l'espace ou les personnages auxquels il a décidé de se confronter. Le cinéaste peut choisir d'exécuter un travelling pour accompagner le déplacement de personnage, ou pour nous faire pénétrer seuls dans un lieu ; il peut effectuer un panoramique pour aller à la rencontre d'un personnage situé en dehors du cadre, mais dont la voix a soudain retenti dans le plan ; il peut se refuser à bouger la caméra et laisser les personnages traverser l'espace délimité ou évoluer à l'intérieur du cadre ; il peut resserrer le cadre, par un travelling

avant ou un zoom, sur un visage dont il souhaite interroger l'expression, ou sur un geste précis ; il peut décider de varier le point de netteté pour promener le regard du spectateur à travers l'image, ou pour dissoudre les contours d'un corps tout en faisant émerger dans d'autres régions de l'image d'autres formes demeurées jusqu'alors incertaines. Il peut aussi, en jouant de la distance focale, construire un espace uniformément net ou en privilégier une zone (par exemple celle occupée par le personnage principal, en le détachant d'un fond flou). Ce ne sont là que quelques exemples. L'enjeu du plan réside dans la capacité à faire de la manipulation de paramètres techniques, une relation complexe au réel, aux personnages, à l'espace, etc.

Cette relation n'est pas réductible au point de vue. Dans un très beau texte, Johan Van der Keuken évoque son expérience de cinéaste en décrivant trois aspects de la caméra : « L'aspect instrument de musique où l'on joue sa partie, où l'on improvise, où l'on intervient directement ; le deuxième est la boxe, avec la force de frappe de la caméra ; et la caresse, car les petits mouvements qui effleurent la peau des êtres et des choses m'intéressent beaucoup.[1] » Plus guerrier, Eisenstein parle du « point de prise de vues conçu comme matérialisation du conflit entre la logique organisatrice du réalisateur et la logique inerte du phénomène, donnant dans la collision la dialectique du raccourci cinématographique »[2].

Le visible et son interprétation

Lorsque nous décrivons un plan et que nous parlons de zoom arrière, de travelling avant ou de légère contreplongée, nous faisons une chose très particulière : nous décrivons l'image en nous référant à quelque chose qui n'est pas dans l'image, que *nous ne voyons pas* : la caméra, l'appareil de « prise de vue ».

Pour celui qui doit tourner un plan ce choix est parfaitement légitime : plutôt que l'image elle-même, il peut avoir intérêt à décrire la façon dont cette image peut être obtenue. En fait ce choix n'en est pas vraiment un : nous aurions souvent bien du mal à décrire la traduction visuelle complexe d'un mouvement de caméra si nous ne pouvions tout simplement en nommer la cause.

Quoi qu'il en soit, la description d'un plan est révélatrice du double rapport que nous entretenons avec son contenu. Tantôt nous décrivons ce que nous voyons : le décor, les personnages, leurs positions relatives et leurs déplacements, les costumes qu'ils portent, la façon dont ils sont éclairés, ou encore la distribution du net et du flou dans l'image et la profondeur de champ... Tantôt, pour rendre compte de ce que nous voyons, nous parlons de travelling, de panoramique ou de zoom c'est-à-dire de la caméra. Ce que nous décrivons alors n'est pas l'image, mais l'*interprétation* par notre cerveau de données visuelles complexes réparties

1. Voir la suite du texte page 83.
2. S.M. Eisenstein, « Hors cadre » (1929), Cahiers du cinéma n° 215, septembre 1969, p. 25. Voir aussi le texte d'Alain Bergala page 82.

sur une surface plane, en termes de *point de vue* sur un *espace en profondeur*[1]. Autrement dit, en regardant un plan non seulement nous voyons ce qui a été filmé, mais, comme l'écrit Pasolini[2], nous « sentons » la caméra ou, plus abstraitement, une instance qui organise le visible, se confronte à lui, l'interprète (à la façon d'un musicien), se manifeste en lui et entièrement *par* lui. Ce qui nous atteint dans un plan, ce que nous devons chercher à décrire, ce à quoi nous devons nous rendre sensible, ce n'est pas seulement ce qu'il nous donne à voir directement, ce qui est mis en scène, mais la manifestation d'une tension entre le visible et l'instance qui règle sa visibilité (une instance qui devance, se détourne, insiste, accompagne, attend, hésite, réunit ou sépare, précise, défait, etc.).

1. Dans le cas du plan tourné/monté, il s'agit bien sûr du point de vue de la caméra sur l'espace filmé. Par contre, dans le cas de l'espace composite, mentionné dans la première partie, l'espace unitaire et le point de vue sur cet espace sont perçus sans pourtant renvoyer à un point de vue ni à un espace existants. Notons également qu'on peut très bien simuler un travelling avant dans un dessin animé, « simplement » en reproduisant sur une surface plane les données visuelles complexes communément produites par un déplacement réel.

2. Pier Paolo Pasolini, « Le cinéma de poésie », *L'expérience hérétique, langue et cinéma*, Payot, Paris, 1976, p. 154.

Un split-screen « naturel » imaginé par Jacques Tati pour *Playtime*. Dans cette vue en coupe d'un rez-de-chaussée d'immeuble aux allures de vitrine, les locataires de l'appartement de droite semblent regarder ceux de la moitié gauche – en réalité, un mur et une télévision les séparent.

Chapitre 3

Le travail du plan

Une question se pose : comment préciser cette relation instaurée dans le plan ? Où se joue-t-elle, comment se tisse-t-elle précisément dans l'image ? Sur quoi pouvons-nous porter notre attention dans l'image pour mieux cerner le rapport instauré par le cinéaste avec le lieu qu'il filme, et avec les personnages qui y évoluent ? Pour organiser notre réflexion, nous proposons quatre axes d'investigation : la construction et l'occupation de l'espace ; les relations de l'image avec le son pendant la durée du plan ; le plan en tant qu'expérience temporelle ; le plan dans son rapport au film entier.

Plan d'ensemble récurrent de *Où est la maison de mon ami ?* (Abbas Kiarostami, 1988) à l'inoubliable composition : le sentier en zig-zag tracé sur la colline nue ; l'arbre planté à son sommet. Le plan est lui-même solidement enraciné dans le film, physiquement « incontournable » : Ahmad doit passer et repasser par lui, sans raccourci.

L'espace du plan

Adopter le point de vue du cinéaste peut ici nous aider : en plaçant sa caméra à un endroit ou un autre, en optant pour une distance focale ou une autre, en bougeant ou non sa caméra le cinéaste agit simultanément sur plusieurs paramètres du plan : il détermine une distance à chacun des objets visés ; il fixe un ensemble de rapports de tailles (rapport entre la taille projetée et la taille réelle de chacun des objets filmés, et rapport entre les tailles relatives de tous les objets à l'écran) ; il délimite aussi un champ de vision, un cadre ; enfin il compose ce qui deviendra une image projetée sur un écran, c'est-à-dire une surface plane. Pour faire un choix parmi toutes les possibilités qui s'offrent à lui, le cinéaste peut donc commencer à penser son plan en termes de distance, de cadre, de surface, en privilégiant l'une ou l'autre de ces approches ou en s'efforçant de les combiner. Face au plan, nous pouvons à notre tour envisager ces trois aspects.

La distance

La distance suppose un point de vue (situé à une certaine distance de l'objet filmé), mais elle exprime une idée bien différente. Alors que le point de vue constitue le sommet d'une pyramide visuelle qui s'élargit depuis ce point, la distance mesure l'écart et la tension entre deux points, évoquant en cela un fil plus ou moins tendu entre le cinéaste et l'objet de son attention. Alain Bergala emploie à ce sujet la métaphore de l'élastique – élastique qui pourrait se tendre ou se détendre à l'initiative de l'un ou l'autre des protagonistes.

Quelles raison peut-on avoir de s'intéresser à la distance dans un plan ? Que raconte une distance ? La distance peut être ce qu'un personnage doit franchir pour aller quelque part, ce qui le sépare d'un point. La caméra se situe-t-elle sur le même bord que le personnage ? Va-t-elle l'attendre de l'autre côté, le tenir dans son champ de vision tout au bout de cette distance à franchir ? La distance peut aussi être marquée en tant qu'infranchissable, en tant que barrée. Par exemple, lorsqu'un personnage est filmé à travers les barreaux d'une prison, ou à travers une vitre, ou de l'autre côté d'un fleuve. La distance mesure enfin la liberté dont dispose un corps filmé : jusqu'où le laisse-t-on filer au loin, jusqu'où peut-il faire l'exercice de sa liberté dans le cadre ?

A l'intérieur du cadre, la distance se décline au pluriel. L'ensemble du cadre est tendu par les distances établies entre la caméra et ses différents occupants, mais aussi entre les constituants du cadre eux-mêmes. Une relation entre personnages peut ainsi être exprimée par la distance qui les sépare, et par la façon dont la caméra mesure cette distance (par un panoramique allant de l'un à l'autre ? par une vue d'ensemble englobant les deux ?). Dans la mise en scène chorégraphique du film de Jacques Rivette *Haut Bas Fragile*, le jeu de la distance est un jeu du désir et de la séduction, qui tire les corps l'un vers l'autre et les sépare, les fait graviter autour l'un de l'autre comme les planètes d'un petit système solaire.

Shadows (John Cassavetes, 1959). « Le gros plan ne fait pas qu'isoler l'objet de l'espace où il se trouve, on dirait bien plutôt qu'il l'en extrait pour le transférer dans un espace conceptuel qui obéit à d'autres lois. » (Béla Balázs)

Le cadre

Quand il regarde à travers le viseur de la caméra, le cinéaste voit une portion d'espace *cadrée*. Tourner un plan, c'est donc définir un cadre (en plaçant la caméra à un certain endroit, en choisissant un objectif de distance focale plus ou moins longue), c'est-à-dire décider de ce qu'il va contenir ou de ce qui va déterminer sa mobilité. Avant de commencer à tourner, avant de se poser, plan par plan, la question du « cadrage », le cinéaste doit donc également choisir le format du cadre de chacun des plans. Il existe en effet plusieurs formats de cadre, le « format » étant défini par le rapport largeur/hauteur de l'image, autrement dit, à hauteur égale, par la plus ou moins grande largeur de l'image projetée. Ce rapport peut varier quasiment du simple au double d'un film à l'au-

tre (du format 1,33 des films muets au 2,55 du CinemaScope en pas-
sant par le format standard européen actuel de 1,65 et le standard américain de 1,85). Décider du format, c'est une fois encore définir un
espace de contrainte et de liberté pour la composition de l'image.
Eisenstein regrettait l'absence du format carré, riche selon lui des plus
grandes potentialités dynamiques. Jean Renoir quant à lui notait que l'apparition des écrans larges dans les années cinquante pour concurren-
cer la télévision, avait d'une certaine manière condamné un plan emblé-
matique des années vingt : le gros plan de visage (comment en effet isoler
un visage quand le cadre est une longue bande horizontale ?). Fritz
Lang estimait le CinémaScope fait pour les serpents et les enterrements.
Cependant d'autres cinéastes (Stanley Kubrick, Nicholas Ray, Douglas Sirk,
Sergio Leone…) se sont plu à investir la bande horizontale de l'écran
large. Une fois choisi, le format du cadre reste le même pendant toute
la durée du film. En revanche, d'un plan à l'autre la nature du cadre peut
varier considérablement. On peut avec Gilles Deleuze distinguer deux
grandes tendances du cadre : le cadre réceptacle et le cadre dynamique.

Le cadre réceptacle
Le cadre peut être pensé par le cinéaste comme une sorte de petite
clôture dont il faudrait aménager l'intérieur (Eisenstein le compare
alors à une feuille blanche à remplir). Ce cadre peut être défini par
sa *capacité*, par la *composition* qui s'y organise, et par la *contrainte* qu'il exerce
sur ses occupants.
Selon Gilles Deleuze le cadre est inséparable de deux tendances : la satu-
ration et la raréfaction[1] (soit par l'augmentation ou la réduction du nombre de composants du plan, soit par la croissance ou la réduction d'un
composant principal). Ainsi, lors d'une scène de repas dans *L'ombre
d'un doute* (Alfred Hitchcock, 1943), le cadre se resserre sur le visage d'un
personnage, de telle sorte que le
visage semble effectivement enva-

1. Gilles Deleuze, *L'image mouvement*, Minuit,
Paris, 1983, p. 24.

hir le cadre et le saturer de sa haine, au point que le cri de protestation surgi du hors-champ résonne comme un cri d'*asphyxie*. C'est la capacité du cadre que désignent les termes « plan général » et « plan d'ensemble », en précisant ce qu'il est capable d'englober, ce qui peut tenir à l'intérieur – en l'occurrence, une quantité raisonnable de décor ou de paysage autour des personnages.

Puisque le cadre contient une certaine quantité d'éléments, on peut se demander de quelle manière tous ces éléments sont organisés dans l'espace cadré. En regardant *Où est la maison de mon ami ?*, on perçoit très vite le plaisir pris par Abbas Kiarostami à utiliser les piliers des balcons, les fils tendus pour sécher le linge, les ouvertures de portes et de fenêtres, pour structurer ses plans, découper le cadre en zones plus petites à l'intérieur desquelles viennent, comme par magie, s'inscrire les personnages. Dans de nombreux plans où la caméra est mobile, Kiarostami s'arrange d'ailleurs pour que le plan vole d'une composition structurée à une autre (vers la fin du film, les règles de composition changent brutalement : l'espace n'est plus structuré géométriquement, mais constitué d'une nuit épaisse et magique, illuminée par les projections colorées des carreaux de verre).

Dans la mesure où il délimite un espace, le cadre peut être utilisé par le cinéaste comme un instrument de contrainte des corps. Tout se passe alors comme si le corps, au lieu d'évoluer dans un espace partiellement cadré par la caméra, avait conscience d'occuper un cadre cinématographique, comme si les limites du cadre devenaient pour lui des frontières physiques. Dans *Shadows*, de Cassavetes, le resserrement du cadre sur les visages se touchant presque dans le feu de la conversation, fait en quelque sorte pression sur eux, crée une tension entre les visages très mobiles et les bords qu'ils dépassent parfois, mais sans jamais tout à fait s'en libérer. De manière différente, au début de *Pather Panchali* nous voyons Durga, la grande sœur d'Apu, se tapir dans l'espace étroit aménagé par le cadre dans la jungle épaisse. Dans *La Grève*, d'Eisenstein, le resserrement du cadre sur les ouvriers semble participer à la répression dont il sont victimes, se refermer comme un étau sur les corps pour les tasser, les agluttiner et finalement les anéantir.

Le cadre dynamique

Le cadre réceptacle s'oppose au cadre comme « construction dynamique en acte, qui dépend étroitement de la scène, de l'image, des personnages et des objets qui le remplissent[1] ». Dans ce cas, le cadre est perçu comme réactif, se pliant à son tour aux gestes, aux réactions, aux bouleversements visuels et sonores qui surviennent dans le plan (la réaction pouvant être, non pas un mouvement, mais une variation du point de netteté, un zoom…).

Il est intéressant d'analyser les plans de *Pather Panchali* et *Où est la maison de mon ami?* en regardant attentivement la façon dont un cadre réactif peut se transformer en cadre réceptacle, et réciproquement.

Toutes ces catégories de cadres pourraient être encore affinées. On rencontre par exemple une autre variété de cadre, qu'on pourrait qualifier d'*indifférent* : un cadre qui, sans attendre des personnages qu'il se plient à ses limites, refuse néanmoins de régler sa propre dynamique sur celle du contenu. Il y a alors divorce entre la dynamique du cadre et celle des personnages. Le cadre tranche au milieu des corps sans égards pour eux, les abandonne au milieu de leurs tourments ou au milieu d'une phrase, et trace son chemin en toute indépendance. Jean-Luc Godard a très tôt fait l'expérience de cette situation très particulière, qui n'est pas sans faire violence à la fois aux personnages et au spectateur.

La découpe

Le vocabulaire que nous utilisons pour désigner l'échelle d'un plan[2] est parfois éloquent. Lorsque nous parlons de « plan taille », de « plan poitrine » ou de « plan épaule », il est clair que nous définissons le cadre en

1. Ibid.
2. Voir le tableau page 88.

nommant le lieu d'une coupe. Pour réaliser un plan, un cinéaste peut se demander, non pas ce qui peut tenir à l'intérieur du cadre ni à quelle distance il veut se trouver du sujet filmé, mais comment découper un petit rectangle d'espace à l'intérieur d'un ensemble plus vaste (rectangle qui peut s'élargir ou se resserrer dynamiquement, du particulier au général ou inversement).

Où est la maison de mon ami ? propose un exemple très particulier de découpage de l'espace. C'est un espace à deux « étages » (la rue ; un balcon). Le jeune héros du film ramasse un linge tombé par terre et essaie de le lancer à la femme qui l'interpelle depuis le balcon. Pour filmer cette scène, Kiarostami a choisi de traiter la ligne de séparation horizontale constituée par le plancher du balcon comme une frontière infranchissable. De cette frontière se déduisent rigoureusement deux cadres, et deux plans : les plans sur l'enfant, dont la ligne-frontière constitue le bord vertical supérieur, et les plans du balcon, dont cette même ligne constitue le socle. Lorsqu'un geste finit par relier les deux personnages (l'enfant tend le linge à la femme qui s'en saisit), la caméra se refuse à suivre le geste et à raccorder les deux cellules.

Le hors-champ

Dès lors qu'il est perçu comme fragment d'un ensemble plus étendu, le cadre définit un *hors-champ*, c'est-à-dire un espace imaginé par le spectateur, prolongeant l'espace visible. La tendance du spectateur à prolonger imaginairement l'espace au-delà des frontières du cadre est si forte, qu'André Bazin a pu y voir un trait distinctif du cinéma, par opposition au cadre pictural exclusivement polarisé selon lui vers l'intérieur[1]. Nous avons vu cependant que le cadre peut être traité comme un système clos :

1. André Bazin, « peinture et cinéma », *Qu'est-ce que le cinéma ?*, Cerf, Paris, 1985, p. 188.
2. Parler de « mobilité » du cadre, c'est déjà admettre l'existence d'un espace exploré par la caméra. Pour le spectateur, le cadre de l'écran n'est évidemment jamais mobile : c'est l'image qui change à l'intérieur, et ce sont les variations de l'image qui sont interprétées comme une mobilité du champ de vision de la caméra dans l'espace.

c'est ce qui arrive en particulier dans de nombreux plans de *Playtime*. Ces différences de cadre peuvent tenir au lieu de la coupe, à la plus ou moins grande étanchéité du cadre et à sa « mobilité »[2], à la stabilité de la composition, aux indices sonores interprétés par le spectateur comme provenant d'un dehors, et bien sûr aux plans qui jouxtent le film (si plus tôt dans le film on nous a montré la portion d'espace filmée intégrée dans un plan plus large, alors le hors-champ est plus nettement ancré dans l'esprit du spectateur).

La surface

Le cadre du plan ne délimite pas seulement un champ de vision : il délimite une surface, qui est celle de l'image projetée. Pour le spectateur, le plan est donc à la fois vision d'un espace en profondeur, et représentation plane. En se confrontant à un espace à trois dimensions, le cinéaste sait aussi qu'il est en train de composer une image plane.

Un plan se déchiffre donc doublement : un personnage qui s'avance vers la caméra est aussi un personnage qui grandit à la surface de l'écran. Une route filmée frontalement, et filant à l'horizon, est aussi une forme triangulaire. Un mur rouge, un costume bleu, une fleur rose sont aussi des taches de couleurs déposées sur une surface : sur la toile de l'écran le cinéaste trace des lignes, organise des figures géométriques, des intensités lumineuses, utilise les objets qu'il met en scène comme une palette de couleurs.

Tailles réelles, tailles projetées, tailles relatives

La projection cinématographique, contrairement à la télévision, a un pouvoir grossissant auquel les premiers spectateurs et cinéastes semblent avoir été particulièrement sensibles. Il est frappant de constater que le déplacement d'une caméra sur un chariot (le travelling, donc) constituait seulement pour Georges Méliès un truquage permettant d'agrandir ou de réduire des personnages dans un décor fixe filmé séparément et super-

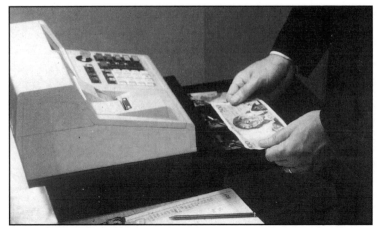

L'Argent (Robert Bresson, 1983) ou la coupure violente : à gauche, le Dieu tiroir-caisse et la tête de Pascal sur le billet de 500 francs soigneusement tendu ; à droite, le corps à la tête tranchée des forces de l'ordre.

posé aux personnages par surimpression (voir par exemple *L'Homme à la tête de caoutchouc* et *La Danseuse microscopique*, tous deux de 1901). Quant aux premiers films qui, vers 1900, intégrèrent des gros plans parmi des plans plus larges, ils légitimèrent souvent cet usage en mettant en scène un instrument d'optique au pouvoir grossissant (loupe ou télescope)[1]. Dans de nombreux plans de ses films, Orson Welles supprime tous les indices de distance pour faire jouer, à l'intérieur du cadre, non plus des rapports de distances entre personnages mais des rapports de taille. Dans *It's All True*, nous voyons une procession dont les corps se distribuent en profondeur de telle sorte que les corps les plus proches occupent toute la hauteur de l'écran, tandis que les plus éloignés semblent circuler au pied des premières. La caméra est placée au ras du sol, de sorte que les figures filmées se détachent sur le fond uniforme d'un ciel sans nuages. Le sol n'est plus qu'une fine bande de terre affleurant à peine au-dessus du bord inférieur du

1. Voir « le gros plan primitif » in Philippe Dubois (dir), *Le Gros Plan*, revue belge du cinéma n°10, hiver 1984-1985.

cadre. Rien ne permet plus de mesurer, de « voir » la distance physique séparant les corps. Du coup, ce qui rejaillit presque aussi violemment que dans un film truqué de Méliès est la coprésence dans le cadre de corps géants et de corps miniaturisés.

Des couleurs sur une toile

D'une autre manière, on s'aperçoit que dans *Playtime* Jacques Tati a composé un grand nombre de plans en pensant tout autant à l'organisation d'un espace en profondeur qu'à celui d'une surface plane, celle de l'écran. Ainsi dans l'immeuble de bureaux où se rend Hulot à la recherche probable d'un emploi, Jacques Tati élabore un double scénario. Au scénario en profondeur, où Hulot se trouve confronté dans chaque plan à un espace compartimenté, cloisonné de surfaces vitrées, Tati superpose un autre scénario : celui d'un monochrome gris (gris des murs, du sol, des costumes des employés) où se promènent des couleurs (un autobus rouge sur une affiche publicitaire, les voyants multicolores d'un interphone, de petits dossiers bleus, roses, oranges transportés sous le bras d'employés gris).

L'image avec le son

Depuis la fin des années vingt, deux scénarios « concurrents » (c'est-à-dire, faisant leur course ensemble) viennent encore s'ajouter au double scénario de la surface et de la profondeur joué par le plan : celui de l'image et celui du son. Le son apporte au cinéaste un lot supplémentaire de décisions techniques à prendre au moment du tournage (choix du son « direct » enregistré au moment même du tournage, ou post-synchronisation ; utilisation d'un preneur de son ou utilisation de petits micros « HF » sans fil, dissimulés dans le costume des comédiens, etc.). Dans un film sonore, le plan est donc la résultante de quatre opérations : le tournage et l'enregistrement des sons ; le montage et le mixage (c'est-à-dire le montage de la « bande-son », par juxtaposition mais aussi par superposition de sons).

Sources muettes, sources invisibles

Les questions soulevées par la relation image/son dans un plan sonore sont très nombreuses. Voit-on tout ce qu'on entend (ou bien le plan est-il traversé par des sons étrangers, venus d'ailleurs ou de l'intérieur d'une conscience…) ? Entend-on tout ce qu'on voit (c'est-à-dire ce qui dans l'image peut constituer une source sonore) ? Tous les bruits du monde ont-ils droit de cité ? En posant cette question on s'aperçoit que le plan privilégie bien souvent une ou deux sources dans l'image (généralement des voix), et impose le silence aux autres. Les films de Jean-Luc Godard et Jacques Tati, chacun à leur manière, contribuent à bousculer la prééminence traditionnelle de la parole. Il faut être attentif à la façon dont Godard couvre délibérément les voix de bruits désagréables, leur coupe brutalement le sifflet ou les traite comme un matériau sonore et non comme un outil de langage ; il faut écouter la façon dont Tati, notamment dans *Playtime*, rend leur éclat sonore aux plus menus événements (chute d'un objet, toux, frottement des battants d'une porte, etc.) sans se soucier de leur importance dans le cadre.

Iago et Roderigo dans *Othello* (Orson Welles, 1952), ou l'utilisation de la profondeur de champ chez Welles. Le rapport de taille est d'autant plus saisissant qu'à chacun des personnages est impartie une moitié d'écran, comme si un gros plan et un plan d'ensemble se trouvaient juxtaposés.

Point de vue et point d'écoute

Le plan sonore permet aussi au spectateur de faire une expérience singulière impossible pour un corps ordinaire : la séparation de l'œil et de l'oreille, du « point de vue » et du « point d'écoute » : il est en effet possible de faire entendre très distinctement un dialogue tenu entre deux personnages au fin fond de l'image. On peut donc analyser un plan en cherchant à situer point d'écoute et point de vue l'un par rapport à l'autre.

Coupes sonores, coupes visuelles

Le son a souvent été utilisé comme élément de continuité entre les plans d'une même scène. Pourtant, puisque le son et l'image sont montés sur deux bandes autonomes, il existe d'autres combinaisons possibles de coupes sonores et visuelles, souvent violentes. Jean-Luc Godard les a toutes systématiquement explorées dans ses films : coupe sonore pratiquée au beau milieu d'un plan ; continuité sonore interrompue brutalement par une coupe visuelle (personnage interrompu au milieu d'une phrase). Il ne s'agissait pas seulement de faire entrer dans le champ du possible des pratiques de montage jusqu'alors proscrites, mais d'en découvrir la puissance signifiante. Ces coupes brutales permettent de mettre en valeur un mot, un motif musical, un bruit, un timbre de voix, d'aiguiser notre œil et notre ouïe, de nous déshabituer à voir et entendre.

Le temps d'un plan

Le plan comme cadre temporel

Le monteur en découpant un plan définit un cadre temporel. Comme le cadre spatial, ce cadre temporel peut apparaître comme un système clos ; il peut aussi se prolonger en douceur, se jeter dans le plan suivant ; il peut enfin nous frapper par la violence de la découpe qu'il opère sur un événement, en le tronquant, en l'amputant sans que le plan suivant prenne la relève et le complète.

Le plan comme traversée du temps

Pour le spectateur cependant, le cadre temporel n'a d'existence qu'après-coup, lorsqu'ayant vu le plan dans sa totalité il peut jeter sur lui un regard rétrospectif. Mais au moment où il regarde le film, le spectateur ne rencontre pas un cadre temporel, il fait l'expérience d'une *durée*.

La durée d'un plan n'est pas quelque chose qu'on mesure comme une distance, qu'on embrasse du regard. Nous devons passer par elle, la *traverser* physiquement (à moins que ce ne soit elle qui nous traverse, coule dans notre corps, l'*éprouve*), en répartissant notre attention entre tous les événements qui s'y déroulent simultanément, et cela sans savoir quand la traversée prendra fin (même si nous croyons la « voir venir », en quoi nous pouvons toujours nous tromper). Le rapport de la durée et du contenu est un puissant instrument de conditionnement et de dynamisation du regard. Un plan qui dure au-delà de la simple nécessité fonctionnelle qu'on lui suppose nous oblige à reconsidérer l'image selon des critères moins directement liés au récit, mobilise notre attention sur « l'accessoire », modifie notre appréciation du « sujet » de l'image. La durée est donc un événement en soi qui peut, selon les cas, nous inviter à une attitude plus contemplative ou nous désorienter, nous irriter ou créer un sentiment d'angoisse et de malaise.

C'est ce pouvoir de la durée qu'utilise Satyajit Ray pour filmer le retour du père d'Apu. Pendant sa longue absence la famille d'Apu a été frappée par un deuil qu'il ignore encore. Nous le voyons pénétrer à l'intérieur du cadre, en plan d'ensemble, marquer un arrêt devant l'arbre effondré sur le mur d'enceinte de la maison, puis continuer son chemin, accompagné par un panoramique. Parvenu face à la cour, nous tournant le dos il s'interrompt de nouveau, promène un regard troublé autour de lui. Il reprend ensuite son chemin vers la droite du cadre, mais cette fois la caméra ne l'accompagne pas et il sort du champ. Pendant de longues secondes nous restons seuls face à la cour, en compagnie d'une vache qui broute dans son enclos, impassible. Le père finit par réapparaître dans la cour, désorienté, et appelle sa fille ; sa femme passe à ses côtés comme un fantôme. Dans ce très beau plan, les lourdes secondes passés en compagnie de la vache ouvrent dans le plan une béance (redoublée par celle du mur effondré) qui fait admirablement ressentir le vide creusé dans le foyer d'Apu par la perte d'un de ses membres.

Le plan comme moment du film

A l'intérieur d'un film narratif, le plan participe d'un double processus qui implique le film dans son entier : l'élaboration d'un récit et la construction d'un univers fictionnel. Chaque plan apporte sa contribution à ce processus en s'associant à d'autres plans pour présenter un ensemble d'événements dont l'organisation forme un récit[1], tout en complétant notre représentation mentale de l'espace-temps où se déroule l'histoire.

Parmi les termes couramment utilisés pour qualifier globalement un plan, le « contre-champ » définit précisément l'espace d'un plan par rapport au champ délimité par un plan adjacent. Une séquence peut être constituée d'une série de « champ/contre-champs », c'est-à-dire en montrant alternativement une portion d'espace et son vis-à-vis (typiquement, dans une conversation, un interlocuteur puis l'autre). Le rapport de champ/contrechamp peut être préalablement *établi* par un plan d'ensemble englobant les deux espaces (on parle en anglais d'un *establishing shot*). Mais, même à supposer qu'il reflète un rapport spatial réel sur le lieu de tournage, pour le spectateur le rapport champ/contre-champ est toujours établi ou *construit* par le film : il lui faut un certain nombre d'indices pour l'identifier (personnage en amorce, éléments de décor visibles dans les deux plans, directions de regards, etc.).

La possibilité donnée par le montage de construire un espace ouvert à 360 degrés (un espace à l'intérieur duquel on puisse se « retourner » – le terme anglais pour contre-champ est *reverse shot*), un espace imaginaire sans limite, habité par le récit, s'est très tôt imposée comme une finalité du plan, comme sa vocation prioritaire, au point de donner progressivement naissance à un ensemble de lois et d'interdits que les cinéastes devraient par la suite apprendre à transgresser.

On peut cependant considérer le rapport du plan au film de

1. Dans les documents préparatoires d'un film narratif, ce récit peut être divisé en une série de grandes unités narratives comprenant plusieurs plans, les « séquences ».

manière plus libre, sans se limiter à sa seule fonction narrative. Lorsque le plan survient nous avons accumulé un savoir (sur l'intrigue, les motivations des personnages, les relations entre personnages, le lieu de l'action, etc.), nous nous faisons une certaine idée de ce qui pourrait arriver aux personnages, de ce à quoi pourrait ressembler le hors-champ du plan que nous venons de voir (dans *Playtime* et dans d'autres de ses films, Jacques Tati s'amuse précisément à constituer des croyances fausses concernant le hors-champ, de façon à nous surprendre quand il nous est enfin révélé), ou encore de ce qui, dans le régime du film, est possible (par exemple, il nous arrive de nous demander si le film que nous regardons peut admettre une fin malheureuse ou si le *happy end* est « obligé ») : nous ne recevons pas seulement le plan avec notre libre arbitre mais tels que le film nous a construits : avec un savoir, une mémoire, une attente.

Le plan peut donc être élaboré pour jouer avec ce savoir, cette mémoire, cette attente : pour compléter notre savoir ou le rectifier, pour raviver notre mémoire ou semer un doute dans notre esprit, pour satisfaire une attente ou la prolonger. Les films dits « à suspense » sont bien évidemment ceux auxquels on pense en premier, et en effet il est très intéressant d'étudier les plans de films d'Hitchcock en se demandant à chaque fois la façon dont il compose son plan, dont il joue de la distance et du cadre pour nous reconstruire, nous spectateurs. Mais il peut aussi être fait un usage plus ludique de cette rencontre du plan avec ceux qui le précèdent.

Où est la maison de mon ami ? regorge de ces petites situations de suspense organisés : quand par exemple le petit garçon voit un enfant transporter un panneau en bois, Kiarostami s'amuse à disposer le panneau précisément devant la tête de l'enfant, de sorte que nous passons un moment à nous demander s'il est bien celui qu'on cherche. Le film joue aussi avec notre mémoire des formes. Dans un plan au début du film, après la sortie de l'école, le cadre installe un cheval blanc en arrière-plan, précisément entre deux piliers. Dans le plan suivant, un linge blanc occupe exactement la même place dans l'image (il est suspendu dans une cour), et nous ne pouvons nous empêcher de remarquer que la chemise, toute blanche, disposée de manière particulière avec ses deux bras qui pendent bien verticalement, ressemble à s'y méprendre... à un arrière-train de cheval.

En voyant un film nous emmagasinons des formes, des couleurs, des sons, qui sont autant d'enjeux pour le cinéaste. Plutôt que de monter ses plans de façon à construire un espace cohérent, Eisenstein se plaît à faire circuler un motif (par exemple, un cercle) de plan en plan, ou à produire des contrastes formels et lumineux entre plans successifs afin de créer une tension dramatique croissante, au point de considérer que le plan seul n'est rien, et que seul le montage des plans peut leur donner un sens. *Ballet mécanique*, film réalisé par le peintre Fernand Léger en 1924, est entièrement monté de façon à créer des rencontres de formes, de mouvements, de compositions : il n'y a pas d'histoire, ou plutôt l'histoire du film est celle de ces rencontres extraordinaires (par exemple, Fernand Léger met en évidence, en les montant l'un après l'autre, une ressemblance saisissante et insoupçonnée entre un entonnoir métallique retourné et un œil de perroquet[1]).

L'étude du montage sort du cadre de cet ouvrage. S'il y a pourtant lieu de s'intéresser aux principes de montage supposés garantir la construction d'un espace-temps fictionnel unitaire, c'est que leur mise en place dans les années dix aux Etats-Unis coïncide avec un événement qui nous intéresse directement : l'apparition en France du mot « plan » dans le sens que nous lui avons donné de bloc d'espace et de temps, puis la formation du vocabulaire technique relatif à l'échelle de plan.

Or, si on considère ce vocabulaire on s'aperçoit que, loin d'être un outil de description neutre, il est spécialement adapté à une catégorie particulière de plans :

- dont le corps humain constitue la mesure-étalon ;

- caractérisable par une distance

1. Il faut se souvenir de la phrase de Lautréamont en qui les surréalistes reconnurent un précurseur de leurs recherches : « Beau comme la rencontre fortuite d'un parapluie et d'une machine à coudre sur une table de dissection ».

ou *une* taille et qui suppose donc une forte hiérarchisation de ses composants (pour parler d'un plan « rapproché », il faut en effet pouvoir désigner, parmi tous les composants du plan, *la* personne ou *la* chose dont la caméra s'est rapprochée, donc la plus « importante », celle dont on peut dire qu'elle est le « sujet » exclusif du plan. De même le « gros plan » suppose que la taille d'un seul objet dans le plan est en mesure de qualifier le plan dans son ensemble) ;

- relativement stable : si la distance de la caméra au « sujet » du plan change pendant la durée du plan, alors on ne peut plus parler d'*une* grosseur de plan mais de plusieurs grosseurs de plan successives.

Il apparaît donc que le terme générique de « plan » est historiquement lié à une *esthétique* impliquant à la fois principes de montage et de composition. Comment comprendre cette relation ? Pourquoi ce mot s'est-il imposé ? Pourquoi pas avant ? A quoi ressemblaient les plans avant qu'on les appelle ainsi ? Ces questions imposent une petite plongée dans l'histoire.

Vue Lumière non cataloguée, tournée en 1896 (sans doute par Louis Lumière, en famille), projetée sous le titre *Enfants aux jouets* ou *Enfants et jouets*. L'ombre d'un témoin hors-champ (peut-être l'opérateur) traverse le cadre.

Chapitre 4

Archéologie du plan

Pendant un peu plus d'une dizaine d'années, entre 1895 et la deuxième moitié des années 1900, le cinéma aura existé sans qu'il soit fait mention de « plans » au sens où nous l'avons défini dans la première partie de cet ouvrage. On parle en revanche de « vues » ou de « tableaux ». Techniquement, ces mots sont synonymes de plan en tant que bloc continu d'espace et de temps. Mais si nous regardons à quoi ils ressemblent concrètement, nous nous apercevons que « vue » et « tableau » définissent deux esthétiques distinctes, autrement dit deux manières distinctes de concevoir le plan, deux manières de penser le cadre, la distance, le point de vue, etc. C'est à elles que nous allons nous intéresser, avant d'en venir au « plan ».

Esthétique de la « vue »

Lorsque Louis Lumière et ses opérateurs tournèrent les premiers films projetés en France à un public dans le cadre d'une séance payante, ils appelèrent ces films des « vues »[1]. A quoi ressemble une vue ? Comment fait-on une vue ? La *prise d'une vue* consiste à choisir un *motif* (un chat ; deux bébés ; un défilé militaire ; le bassin des Tuileries ; la place des Cordeliers à Lyon ; un quai de gare ; etc.) ; un *emplacement* pour la caméra (près ; loin ; en face ; sur le côté…) ; un *moment* (et donc une *lumière*, puisque les vues sont tournées en plein air).

Ces paramètres étant fixés, l'opérateur tourne la manivelle de l'appareil sans interruption jusqu'à épuisement des dix-sept mètres de pellicule qu'il contient. Ce qui, projeté à raison de 16 images par secondes, représente un film d'environ une minute, constitué d'un unique plan. La *durée*, paramètre essentiel du plan, est ici immuable. La caméra est fixe, mais elle peut être embarquée sur un train ou un bateau : les vues obtenues de la sorte s'appellent des *panoramas*.

Noël Burch résume ainsi le programme des vues Lumière : il s'agit de « "piéger" une action, connue dans ses grandes lignes et prévisible à quelques minutes près, mais aléatoire dans tous ses détails[2]» Ce programme définit, indépendamment du moment historique, une posture de metteur en scène, voire une éthique, dont se réclameront d'autres cinéastes, en l'adaptant à leur propre désir cinématographique : Philippe Garrel en tournant une prise unique pour chaque plan, avec la mise en danger volontaire que comporte un tel choix, ou Jacques Rivette, dans sa façon de bâtir ses films en recherchant un équilibre entre écriture et improvisation, en ménageant une part de liberté et de hasard dans une mise en scène globalement réglée.

1. Ce que nous appelons l'esthétique de la vue concerne spécifiquement les vues Lumière. On rencontre en effet dans les années 1900 le mot « vue » employé au sens générique de film, qu'il s'agisse d'un film à plan unique ou non (on parle de « vue composée »), et quel que soit le genre et l'esthétique du film.

2. Noël Burch, *La Lucarne de l'infini*, Nathan, Paris, 1990, p. 21.

Départ de cyclistes, vue tournée à Lyon le 12 juillet 1896, sans doute par Louis Lumière. Préméditation (il fallait être au départ de la course) et hasard composé : foule, mouvement, poussière.

Dans une brochure rédigée vers 1894, un an avant l'invention du cinématographe, Louis et Auguste Lumière avaient adressé aux photographes amateurs un ensemble de conseils. Il faut, est-il écrit, « surprendre la nature sous son meilleur aspect » ; en ce qui concerne la figure humaine, « le but à atteindre consiste à fixer, parmi les attitudes que peut prendre le modèle, la pose accidentelle qui satisfait aux règles indiquées [de la composition, héritée d'une tradition picturale], sans rien sacrifier du naturel et de la vérité[1] ».

Le cinématographe Lumière poursuit sans doute le même but, mais il ouvre à l'aléatoire et à l'accidentel l'intervalle de temps *incompressible* d'une minute – soit un temps qui peut sembler court pour un film, mais qui excède

1. Le texte de cette brochure est reproduit dans : Bernard Chardère, *Lumières sur Lumière*, Institut Lumière, Presses Universitaires de Lyon, Lyon, 1987.

Le Tour du monde en 80 jours, d'Adolphe d'Ennery d'après le roman de Jules Verne, créé le 3 avril 1876 au Châtelet.

la durée moyenne d'un plan dans bon nombre d'entre eux. Cette incompressibilité constitue une soumission extraordinaire à l'aléatoire, aussi ténu soit-il : ce sont les passants qui vont et viennent dans toutes les directions ; l'irruption des tramways dans le cadre ; c'est le bon vouloir des animaux et des hommes, celui de la fumée, du vent, de la poussière et du soleil. C'est aussi ce qu'on tiendrait peut-être aujourd'hui pour un ratage, mais qui est parfaitement admissible dans le programme d'une « vue » : la sidération d'une passante devant l'appareil dans une vue prise Place de la République à Paris, ou, dans une vue du Bassin des Tuileries, l'encombrement inattendu d'un dos au premier plan qui obstrue malencontreusement la perspective soigneusement composée par l'opérateur, et qu'on chasse de la pointe d'un parapluie.

Une scène du film de Ferdinand Zecca, *Tempête dans une chambre à coucher* (1901).

Esthétique du « tableau »

L'esthétique du « tableau », dont Georges Méliès fut l'initiateur à la fin du dix-neuvième siècle, hérite moins de la peinture que d'une tradition spectaculaire.

Le mot « tableau » était alors employé pour deux types de spectacles au moins : les spectacles du Châtelet et les mises en scène de figures de cire au musée Grévin.

Les spectacles qu'on pouvait alors voir au théâtre du Châtelet et dans d'autres salles de spectacle étaient divisés en actes et en « tableaux ». En 1880, le Châtelet monte par exemple une féérie en trois actes et trente tableaux intitulée *Les Pilules du diable*. Chacun des trois actes se termine par un tableau intitulé « apothéose » ; le livret annonce 90 transformations et métamorphoses.

Entre l'industrie naissante du cinéma et le music-hall, personnes, marchandises et idées s'échangent : les Sélénites du *Voyage dans la lune* (Geor-

Histoire d'un crime : les figures de cire du musée Grévin. Premier tableau : le meurtre. « Nous sommes à l'intérieur de la caisse d'une maison de banque, c'est la nuit, le garçon de recettes qui y couche suivant l'usage a été surpris dans son sommeil par l'assassin qui l'a frappé au cœur d'un épouvantable coup de surin. Le meurtrier a fracturé le coffre-fort et s'empare en hâte des valeurs et billets de banque qu'il contient, tandis qu'il tourne la tête pour regarder si sa victime ne bouge plus. »

ges Méliès, 1902) sont des acrobates des Folies Bergère, les étoiles du ciel des danseuses de ballet du Châtelet ; Lucien Nonguet, avant de devenir un opérateur de la firme Pathé, est chef de figuration au Châtelet ; des films courts sont incorporés aux spectacles en guise d'intermède, tandis que les spectacles fournissent aux cinéastes la matière première de leurs films, tels *Les Quatre cents coups du diable* devenus au cinéma *Les Quat'cents farces du diable*, « grande pièce fantastique en 35 tableaux » réalisée par Méliès.

Le musée Grévin, qui avait ouvert ses portes à Paris en 1882, présentait ses figures de cire sous la forme de scènes figées chargées de synthétiser au mieux l'événement évoqué. L'*Histoire d'un crime*, qui remporte alors

Histoire d'un crime, le film (Ferdinand Zecca, 1901). Le décor du musée Grévin est scrupuleusement reconstitué (les vêtements accrochés au centre, l'almanach à droite, le coffre-fort à gauche...)

un vif succès, comporte non pas une scène mais « sept tableaux distincts représentant les sept péripéties les plus importantes du drame »[1] : Le Meurtre ; L'Arrestation ; La Confrontation ; La Cour d'assises ; La Cellule du condamné ; La Toilette ; L'Exécution. De L'*Histoire d'un crime*, Ferdinand Zecca tire en 1901, pour la maison de production Pathé, un film en six tableaux (le tableau de la cour d'assises n'a pas été reconstitué) portant le même titre. Plus largement, c'est toute la production cinématographique qui en France tend à s'élaborer dans les années 1900 selon un même principe : le bout à bout de tableaux vivants.

L'esthétique du « tableau » se distingue en premier lieu de la vue Lumière, en ce qu'elle nécessite une préparation et une

1. Selon les termes du catalogue du musée Grévin édité à l'époque. Egalement cité dans Jacques Deslandes et Jacques Richard, *Histoire comparée du cinéma*, tome 2, Casterman, 1968, p. 310.

organisation proches de la « planification » dont il a été question dans le premier chapitre de cet ouvrage : « La composition d'une scène, écrit Méliès, d'une pièce, drame, féérie, comédie ou scène artistique, demande naturellement l'établissement d'un scénario tiré de l'imagination ; puis la recherche des effets qui porteront sur le public ; l'établissement des croquis et maquettes des décors et costumes ; l'invention du clou principal sans lequel aucune vue n'a chance de succès (…). La mise en scène est également préparée à l'avance ainsi que les mouvements de figuration et le placement du personnel. C'est un travail absolument analogue à la préparation d'une pièce au théâtre (…) »[1] Alors que la vue constitue un plan unique, le tableau commence, à partir de 1900, à être mis en série. Il participe alors d'un programme narratif et spectaculaire : chaque tableau constitue au sein du film une petite scène autonome représentant avec plus ou moins de réussite et de clarté un épisode de l'histoire.

L'espace du tableau consiste effectivement en une scène bâtie dans un « théâtre de prises de vue », et fermée en profondeur par une toile peinte en trompe-l'œil. L'emplacement de la caméra, variable d'une vue Lumière à une autre, est ici fixé de telle sorte que le cadre borne *exactement* la scène construite – soit, indique Méliès, à dix-sept mètres précisément de l'avant-scène et exactement face à elle.

La scène n'admet qu'un rapport frontal de spectacle à spectateur, parfois souligné par les interpellations directes du spectateur par les comédiens. Cadrée dans l'espace, l'action doit aussi se plier à la durée du plan, qui varie peu. Dans la vue Lumière, le temps s'ouvrait comme la boîte de Pandore à l'aléatoire. La durée du tableau est au contraire un cadre contraignant : la péripétie, le numéro, l'action, l'épisode narratif doivent y tenir tout entiers et la remplir d'un bord à l'autre[2].

1. Georges Méliès, « les vues cinématographiques », in *Annuaire général et international de la photographie* (Paris, Plon, 1907) – reproduit en anglais dans : Richard Abel, *French film theory and criticism 1907-1939*, vol. 1, Princeton University Press, Princeton. Extraits publiés en français dans La revue du cinéma n°4, 15 octobre 1929, d'où je tire ma citation.

Du « tableau » au « plan »

Entre les années 1900 et aujourd'hui le mot « plan » s'est donc substitué au mot «tableau» pour désigner le bloc d'espace et de temps dans le film. Comment cette substitution s'est-elle produite, quel bouleversement esthétique exprime-t-elle, et comment le mot «plan» en est-il venu à prendre un sens auquel son origine ne semblait pas le préparer ? Dans le champ de la peinture et du théâtre, le mot plan désignait depuis longtemps «chacune des surfaces planes perpendiculaires à la direction du regard représentant les profondeurs, les éloignements dans une scène réelle ou figurée en perspective[3] », surfaces planes parmi lesquelles on distinguait le « premier plan », le «second plan» ou encore l'«arrière-plan». Nous sommes bien loin du bloc d'espace et de temps, mais une rapide étude sémantique des scénarios Pathé de l'année 1908 nous permet de mieux cerner la relation entre les deux notions. Le mot «plan» y est parfois employé, au sens classique de surface plane verticale, pour préciser le contenu d'un «tableau». On lit par exemple, dans le scénario de *Huit jours d'absence*, neuvième tableau : «le facteur parti, les gens se réunissent premier plan».

Parfois cependant l'emploi est un peu différent, comme pour cette description du douzième tableau d'un film intitulé *Idylle romaine* : «premier plan de la jeune fille dans le caveau» ou encore, cinquième tableau de *L'Héritage du rapin* : «Une rue de petite ville, la boutique des fournisseurs – succession de petits tableaux de premier plan (…) ». Dans le premier exemple, la désignation du plan apporte une simple précision concernant l'occupation de l'espace scénique par les personnages. Dans le second exemple, le «premier plan» devient une indication

2. Précisons que Louis Lumière et ses opérateurs ont aussi réalisé de petites fictions soigneusement minutées et cadrées (la plus célèbre étant sans doute *L'Arroseur arrosé*). Dans la plupart de ces fictions cependant, le choix du point de vue et la mise en scène obéissent à des principes échappant à l'esthétique du tableau.

3. Alain Rey (sous la direction de), *Dictionnaire historique de la langue française*, Robert, Paris, 1998 – auquel toutefois on fera bien de ne pas se reporter pour ce qui concerne le plan spécifiquement cinématographique.

d'échelle : ce n'est pas la jeune fille qui est « *au* premier plan » de la scène, c'est le tableau qui est « un premier plan *de* la jeune fille ». En d'autres termes, ce n'est plus une scène qu'on cadre, c'est *un plan qu'on choisit*. Quant au mot « plan », il n'est plus seulement le lieu où se tient la jeune fille : il désigne métonymiquement ce qu'on fait d'elle – à savoir un (premier) plan. Encore quelques années, et on pourra employer sans étonner personne cette expression des plus étranges : « tourner un plan ».

Dans le troisième exemple le « tableau » est subdivisé en une succession de « tableaux de premier plan », et tend finalement à prendre un sens équivalent à celui de « séquence » : le bloc d'espace et de temps et l'unité narrative, jusqu'alors confondus dans un même mot, tendent à se dissocier.

Dans les années 1910, l'exploitation narrative du « premier plan » est saluée en France comme une invention américaine. On rencontre alors parfois l'expression « premier plan *américain* », devenu par la suite « plan américain », mais qui désigne alors indistinctement, en rupture avec le plan d'ensemble du « tableau », toute vue rapprochée d'un objet, d'un visage, etc. Au début des années 1920, le « gros plan » vient enrichir le vocabulaire du cinéma : aucun autre « plan » ne fera l'objet d'autant d'écrits, enthousiastes jusqu'au lyrisme[1]. Bref, la terminologie que nous connaissons se met en place.

Le vocabulaire dont nous héritons est donc l'expression d'un bouleversement esthétique dont nous n'avons pas ici la place de retracer l'histoire en détail[2], mais dont nous pouvons situer le foyer aux Etats-Unis dans les années 1910. Ce bouleversement aboutit dans les années 1920 à ce qu'on peut appeler « cinéma classique hollywoodien », et plus largement

---

1. Voir page 68.
2. Il faudrait alors remonter jusqu'aux années 1900, et en passer par les films à dispositif voyeuriste, par les Passions cinématographiques et les enregistrements de matches de boxe, ou encore par l'évolution du thème de la course-poursuite dans le cinéma primitif – pour approfondir la question on se reportera aux ouvrages consacrés au cinéma des premiers temps, mentionnés dans la bibliographie.

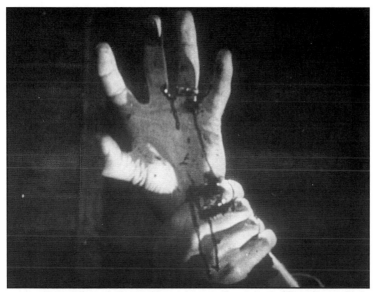

Un emblème de l'anti-tableau : le gros plan de main (*Tempête sur l'Asie*, Vsevolod Poudovkine, 1928). Mains sanglantes, mains s'emparant d'un revolver, poings serrés convulsivement : un concentré du drame cinématographique.

à une forme filmique dominante que Noël Burch nomme « mode de représentation institutionnel ».

Nous en avons déjà identifié deux traits essentiels : fragmentation de la scène en plans ; fragmentation de l'unité narrative en plusieurs blocs d'espace-temps. Une chose apparaît clairement : la substitution du *plan* au tableau s'identifie exactement avec celle du *montage* au « bout à bout ». Trois grands principes se trouvent étroitement liés dans la forme que nous étudions :

- *Principe d'économie narrative.* Ce principe est très clairement décrit dans les textes des cinéastes Vsevolod Poudovkine et Lev Koulechov. Chaque plan ne doit montrer que ce qui est nécessaire au récit, et pas plus que le temps nécessaire. Le cinéaste doit identifier dans chaque scène les éléments les plus importants, puis les isoler, les mettre en valeur et les

organiser en une succession de plans, dont la durée devient un paramètre du montage, et tend à diminuer. Il s'agit donc d'un esthétique
du centrement qui peut se manifester aussi bien par les stratégies
d'éclairage que par l'utilisation de caches circulaires noirs, la composition, les grosseurs de plan ou les angles de prises de vue : l'espace du
plan n'est pas un champ indifférencié, il est au contraire hiérarchisé,
stratifié, centré sur un objet, une figure, un événement.

Ce centrement répond à une exigence d'efficacité et de clarté. Au
contraire du tableau primitif, dont Noël Burch souligne le côté
« grouillant » et « confus »[1], le plan est pensé de façon à diriger, à cen-
trer l'attention du spectateur : il doit être immédiatement déchiffrable
par le spectateur, lui épargner tout effort d'interprétation de l'image
et surtout ne pas le distraire de l'essentiel. C'est le début de ce
qu'Hitchcock appellera la « direction de spectateur ».

- *Principe de l'observateur actif.* D'une certaine manière (c'est du moins ainsi
que Poudovkine fait la pédagogie du montage), la succession des plans
déleste le spectateur de son effort d'attention en devenant elle-même
spectateur, « observateur actif ». La variation des angles de prises de vue,
la variation des distances d'un plan à l'autre sont théorisées comme
une variation de point de vue (pour le spectateur, à la place du spectateur) sur un événement à restituer dans toute sa diversité.

- *Synthèse d'espace-temps ; principe du spectateur invisible.* S'il n'est pas nécessaire
de se limiter à une vue d'ensemble de l'espace scénique, la construction même de l'espace peut à son tour se fragmenter en éléments de
décors discontinus. Le décorateur du *Faust* de Murnau (film allemand
de 1926), Robert Herlth, rapporte que « le cabinet de travail de Faust
ne fut pas conçu comme une seule pièce, mais selon les plans nécessaires, en quatre parties différentes, l'une bâtie après l'autre[2] ».
Le montage permet alors non pas de décomposer une scène unitaire
en plans de détail, mais de syn-
thétiser un espace continu (le

1. Noël Burch, op. cit., p. 146.

cabinet de travail) à partir de fragments de décor discontinus. Les « lois » du raccord et les figures de montage telles que le champ-contrechamp, doivent concourir à cette synthèse. La scène du tableau, dans sa rigoureuse frontalité, n'aurait admis qu'un contre-champ : la salle de spectacle. L'espace diégétique « englobant » implique au contraire la disparition d'un espace spécifiquement spectatoriel. Au principe de la caméra « observateur actif » fait pendant celui du « spectateur invisible » imaginairement *incorporé* à l'espace de la fiction[3].

Survivance et mutations du plan

Bien entendu le cinéma classique hollywoodien, ou plus largement l'ensemble des films narratifs se conformant plus ou moins à une commune « grammaire », ne constituent pas l'unique alternative à la scène théâtrale du « tableau ». La multiplication des films dérogeant à l'esthétique classique et salués comme tels après la deuxième guerre mondiale par des critiques comme André Bazin et Alexandre Astruc, attirèrent au contraire l'attention sur l'inadaptation du concept de « plan ». D'Orson Welles, Alexandre Astruc écrivait en 1948 : « Rompant, et avec le montage, où l'on saute d'un plan à l'autre, et avec les mouvements d'appareil qui lient les différents moments d'une action, il traite ses séquences en plans presque fixes où l'action se déroule sur différentes profondeurs sans que l'appareil ait besoin de bouger. Plusieurs actions simultanées sont donc menées dans un même cadre fixe comme par exemple dans la grande scène de bal de la *Splendeur des Ambersons*. Cette façon de procéder a un certain avantage : elle oblige l'œil du spectateur à faire lui-même son découpage technique, c'est-à-dire à trouver lui-même dans une scène ces lignes dramatiques que c'est généra-

2. Lotte Eisner, *Murnau*, Ramsay poche cinéma, p. 38. Cité dans Benoît Peeters, Jacques Faton, Philippe de Pierpont, *Storyboard, le cinéma animé*, Yellow Now, 1992.

3. C'est au cours des années dix que le regard-caméra se trouve proscrit par les maisons de production américaines : dans un règlement destiné aux acteurs qu'elle emploie, la société Selig inclut l'interdiction expresse de regarder du côté de la caméra (cf Noël Burch, op. cit., p. 208)

lement le rôle des mouvements d'appareil de dessiner. Action et réaction sont inscrits ainsi dans un même plan.[1] ».

Or, comme le note Jean Mitry, dès lors que ce qu'on appelle un « plan » ne correspond plus à la détermination d'un plan, mais à l'organisation d'un champ en profondeur, « c'est le champ tout entier qu'il convient de définir et plus du tout un lieu quelconque de celui-ci.[2] » Le même problème est posé par les mouvements de caméra : « (…) comme, par définition même, un plan est une détermination spatiale fixe, parler d'un plan unique lorsqu'il s'agit d'un travelling est un non-sens[3]».

Cette problématisation du plan témoigne, au-delà de la simple question de la profondeur de champ, de l'émergence d'un nouveau regard sur la société, sur le corps humain, sur la représentation, sur le récit, et sur les moyens mêmes du cinéma. Une esthétique «moderne» se trouve donc définie *a contrario* dans les années soixante, à travers un ensemble d'écarts à l'esthétique classique portée par le mot « plan », écarts dont les films de Rossellini, Antonioni, Bergman, Resnais, Godard, Cassavetes et bien d'autres permettent de dresser une liste ouverte (et qui sont, indépendamment de l'histoire du cinéma, autant de puissances du plan) : rapport non fonctionnel du plan au récit, temps morts, ambiguïtés, improvisation, plans déconnectés les uns des autres, effets de distanciation, figure humaine comme *terra incognita*.

---

1. Alexandre Astruc, « Notes sur Orson Welles », La Table ronde, n° 2, février 1948, in *Du stylo à la caméra…* *et de la caméra au stylo*. Écrits (1942-1984), L'Archipel, Paris, 1992, p. 322.
2. Jean Mitry, *Esthétique et psychologie du cinéma*, tome 1, Editions Universitaires, Paris, 1963, p. 155.
3. ibid.

Epilogue

Les catégories présentent certains avantages ; elles ont aussi le grand inconvénient de nous tenir à distance des films, et à distance des plans. Il convient donc, dans une certaine mesure, de les oublier pour explorer les films, avec précision et sans *a priori*, hors de tout cadre historique, et de s'ouvrir à leur capacité d'invention personnelle, plutôt qu'à ce que nous les croyons capable d'inventer.

Dans leur brochure adressée aux photographes, les frères Lumière faisaient une triste constatation : « Il faut bien s'avouer (…) que les moyens du photographe sont fort limités. Le peintre, le dessinateur, peuvent à leur gré supprimer, ajouter : le photographe n'a pas les mêmes avantages, à cause du manque de plasticité de ses outils.

Il utilise la lumière au moyen d'objectifs et de produits chimiques ; tout ce qui lui est permis réside presque exclusivement dans une sélection, un choix de l'emplacement et de l'éclairage. »

Les frères Lumière en réalité énonçaient moins une vérité qu'ils ne traçaient un cadre à l'intérieur duquel ils avaient choisi d'évoluer, ou qu'ils n'avaient pas l'idée ni le désir de modifier. Nous avons vu que ce cadre n'était pas celui que s'était fixé Méliès : peintre, dessinateur, il concevait lui-même décors et costumes, et se donnait la possibilité de supprimer ou d'ajouter des accessoires, des figurants et même des plans. En revanche la variation du point de vue n'entrait pas dans son champ de possibles : il ne souhaitait pas ou ne savait pas comment disposer de cette liberté.

Ce qu'on devrait retenir de cette brève histoire du plan, c'est une histoire du cinéma et du plan comme *invention du possible* : d'un possible non seulement technique (ce qu'une société maîtrise à une époque donnée) et idéologique (ce qu'une société admet), mais d'un possible conquis, découvert, arraché par un cinéaste au cadre de la technique et de l'idéologie, à l'aide de quelques instruments, et que nous ne pouvons apprécier qu'en nous arrachant à notre tour à notre propre cadre de pensée.

Photo de tournage de *La Femme au portrait*
(Fritz Lang, 1944) : Fritz Lang prépare avec l'actrice Joan Bennett la scène au cours de laquelle
elle apparaît pour la première fois dans le film.

Deuxième partie

Documents de travail, textes, analyses de plans

La Femme au portrait
– la rencontre

En sortant de son club, Richard Wanley rêve devant un portrait de femme exposé dans la vitrine d'une galerie d'art. Rêverie érotique d'une nuit d'été new-yorkaise pour cet homme marié, provisoirement rendu au célibat par le départ en vacances de sa femme et de ses deux enfants. Soudain le portrait prend vie, la rêverie prend corps : le voilà en présence d'une jeune femme vivante.

Plusieurs dessins de Lang visualisent ce moment clé du film, dans le découpage technique du 10 avril 1944. Un plan au sol indique les positions respectives du tableau, de Wanley (R comme Edward G. Robinson, l'acteur ?) et de la femme (W comme Woman), et l'angle de prise de vue qui les réunit. Fritz Lang a dessiné l'image telle qu'elle doit apparaître à l'écran, ainsi qu'une vue de détail du tableau seul, sur lequel se forme le reflet du visage de Joan Bennett. Quelques indications supplémentaires : nécessité d'un fond noir pour que le reflet soit nettement visible ; des interroga-

Fidèles aux dessins, les plans correspondants du film.

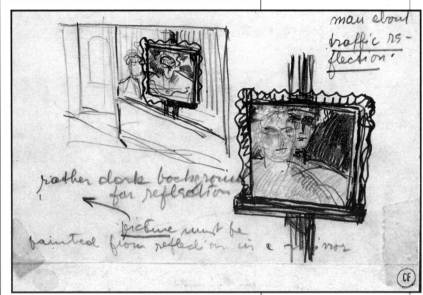

Dessins et « plan au sol » extrait du découpage. Sur le plan au sol, le décor est dessiné en vue plongeante, de façon à marquer les positions au sol de la caméra et des personnages.

tions concernant les contre-champs à effectuer. Le héros de *La Femme au portrait*, Richard Wanley, est criminologue ; en 1931, Fritz Lang s'était déjà servi d'un reflet dans une vitrine pour encadrer le visage du meurtrier de *M. le maudit*, et figurer ainsi un homme pris dans la nasse de ses pulsions.

La Femme au portrait
– le réveil

Photogrammes du film - le premier photogramme correspond au plan 204 du découpage (Woman at phone). Les autres photogrammes sont extraits du plan réalisé conformément au dessin de Lang.

Empêtré dans un cauchemar dont il ne parvient plus à s'extraire, Wanley a absorbé une forte dose de somnifères. Il est dans son appartement. Sur une petite table près du fauteuil, à côté de l'icône de la quiétude conjugale à jamais perdue, le téléphone sonne. Un travelling arrière recadre Wanley dans son fauteuil : le somnifère fait son effet, Wanley reste inerte. Travelling avant sur le visage, très éclairé : Wanley sombre tout à

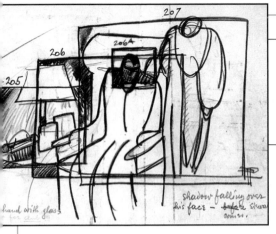

Fritz Lang a dessiné, sur une vue d'ensemble, les quatre portions d'espace successivement cadrées dans le plan. Les passages en continu d'un cadre à l'autre sont indiqués par des flèches de liaison.

Découpage classique initialement prévu : succession de plans et champ-contre-champ Wanley/ maître d'hôtel.

fait, c'est la fin. Mais : une main se pose sur son épaule ; un travelling arrière élargit le cadre. Nous sommes au club, où Wanley s'était endormi au début du film. Fin du cauchemar.

Plutôt que de tourner cette scène en plusieurs plans, comme le prévoyait classiquement le découpage technique, Fritz Lang a opté pour un plan unique au cours duquel le cadre passe par quatre stations successives, comme l'indique précisément un dessin préparatoire de sa main. On lit sur la page correspondante du découpage la mention « trick shot » sans doute aposée par la scripte au moment du tournage (ce n'est en tout cas pas l'écriture de Lang). Il s'agit en effet d'un plan truqué, puisqu'il a fallu changer des éléments de décor pendant que le visage de Wanley occupait tout le cadre, de façon à passer sans coupure du décor de son appartement à celui du club (remarquer en particulier le changement des tableaux en arrière-plan), du cauchemar à la réalité.

Gros plan

Pourquoi s'est-on enthousiasmé pour le gros plan dans les années vingt ? Qu'avait-on découvert en approchant la caméra d'un visage ou d'un objet ? Trois figures apportent un éclairage sur ces questions : Jean Epstein, qui avant de devenir cinéaste, livre avec *Bonjour cinéma* un texte poético-théorique qui serait suivi de nombreux autres ; Fernand Léger, peintre et auteur d'un film qui allait marquer les années vingt ; Béla Balázs, théoricien du cinéma à la pensée duquel certains moments de *L'image-mouvement* de Gilles Deleuze font nettement écho.

L'émotion, l'idée

Jean Epstein, « Grossissement » (1921),
in Bonjour cinéma (Écrits sur le cinéma, tome 1,
Cinéma club/Seghers, Paris, 1974,
pp. 93 et 98)

« Jamais je ne pourrais dire combien j'aime les gros plans américains. Nets. Brusquement l'écran étale un visage et le drame, en tête à tête, me tutoie et s'enfle à des intensités imprévues. Hypnose. Maintenant la Tragédie est anatomique. Le décor du cinquième acte est ce coin de joue que déchire sec le sourire. » (…)
« Le gros plan modifie le drame par l'impression de proximité. La douleur est à portée de main. Si j'étends le bras, je te touche, intimité. Je compte les cils de cette souffrance. Je pourrais avoir le goût de ses larmes. Jamais un visage ne s'est encore ainsi penché sur le mien. Au plus près il me talonne, et c'est moi qui le poursuis front contre front. Ce n'est même pas vrai qu'il y ait de l'air entre nous ; je le mange. Il est en moi comme un sacrement. Acuité visuelle maxima.
Le gros plan limite et dirige l'attention. Il me force, indicateur d'émotion. Je n'ai ni le droit, ni les moyens d'être distrait. Impératif présent du verbe comprendre. Comme le pétrole est en puissance dans le paysage que l'ingénieur à tâtons sonde, ainsi la photogénie là se dissimule et toute une rhétorique nouvelle. Je n'ai le droit de penser à rien d'autre qu'à ce téléphone. C'est un monstre, une tour et un personnage. Puissance et portée de son chuchotement. Autour de ce pylône les destinées tournent et y entrent et en sortent comme d'un pigeonnier acoustique. Dans ce fil peut circuler l'illusion de ma volonté, un rire que j'aime ou un chiffre, ou une attente ou un silence. C'est une borne sensible, un nœud solide, un relais, un transformateur mystérieux dont peut sourdre tout le bien et tout le mal. Il a l'air d'une idée. »

Les objets au pouvoir

Fernand Léger, « A propos du cinéma »
(1930-31), in *Fonctions de la peinture*, Folio
Essais, Gallimard, Paris, 1996, p. 168.
La peinture moderne a détruit le « sujet »
en peinture. Par quoi le remplacer ?
« Par l'objet », répond Fernand Léger. Dans
cette découverte de l'objet par les arts
plastiques, le cinéma tient à ses yeux une
place essentielle.

« C'est une invention diabolique qui peut
fouler et éclairer tout ce que l'on cache,
projeter le détail grossi cent fois. Saviez-
vous ce que c'était qu'un « pied » avant de
l'avoir vu vivre dans une chaussure sous
une table, à l'écran ? C'est émouvant
comme une figure. Jamais avant cette
invention vous n'aviez ombre d'idée de
la personnalité des fragments.
Le cinéma personnalise « le fragment », il
l'encadre et c'est un nouveau « réalisme »
dont les conséquences peuvent être
incalculables.
Un bouton de faux col, placé sous le pro-
jecteur, grossi cent fois, devient une pla-
nète irradiante. Un lyrisme tout neuf de
l'objet transformé vient au monde, une
plastique va s'échafauder sur ces faits
nouveaux, sur cette nouvelle vérité. »

Un monde nouveau

Béla Balázs, *Le cinéma, nature et évolution d'un art
nouveau* (1948), Payot, Paris, 1979, pp. 51-52.

« *Le visage des choses.* Le premier monde nouveau découvert par la caméra au temps du
muet, ce fut le monde des choses très
petites, vues de la proximité la plus
extrême, les choses cachées de la vie la plus
infime. Mais le cinéma n'a pas fait que de
montrer des choses et des événements
inconnus jusqu'alors : l'aventure de minuscules scarabées dans la forêt vierge des
herbes, le drame d'un coq dans une basse-
cour ou l'érotisme des fleurs. La caméra
n'a pas fait que découvrir la poésie de
paysages en miniature. Elle n'a pas fait
qu'apporter de nouveaux sujets. Avec le
gros plan, le cinéma a découvert aussi les
racines secrètes de la vie déjà connue – que
nous avions l'illusion de connaître. Car la
vie la plus grande est constituée de ces vies
minuscules et elle en est le résultat. Les
grandes lignes sont pour la plupart dues
à notre myopie et à notre superficialité qui
ne considèrent la substance vivante qui
grouille, foisonne, jaillit, que d'une
manière trop généralisante. La caméra a
mis en relief la cellule en tant qu'élément
fondamental de la matière vivante, elle a
donc ouvert ce territoire où des débuts
infimes préparent des événements consi-
dérables ; le glissement de terrain le plus
violent n'est lui-même que le résultat des
mouvements de petits cailloux et de molé-
cules. Une légion de gros plans peut nous
montrer cet instant où la « *quantité se trans-
forme en qualité* » (Marx). Non seulement le
gros plan a élargi l'image que nous nous
faisons de la vie, mais de plus il l'a appro-
fondie. Le gros plan ne se borne pas à
montrer de nouvelles choses, il en révèle
le sens. »

Pather Panchali

Il est toujours intéressant d'étudier la stratégie adoptée par un cinéaste pour présenter au spectateur les personnages principaux du film. La rencontre est parfois immédiate, parfois différée ; dans ce plan qui intervient trois minutes environ après le début du film, la femme que nous voyons étendre son linge à l'avant-plan joue un rôle très particulier : celui de *médiatrice*.

Un instant plus tôt, c'est elle qui a surpris Durga, la sœur d'Apu, en train de voler des goyaves. Nous la voyons à présent commenter le vol avec acrimonie, et préciser l'identité de la petite voleuse : il s'agit de la fille d'une certaine Harihar.

Lorsque la femme fait quelques pas vers le rebord du toit, la caméra effectue un panoramique pour la suivre puis, suivant la direction de son regard, plonge au-delà du toit sur une cour restée jusqu'alors hors-champ, où nous découvrons une femme en train de tirer de l'eau d'un puits. Cette femme, que nous avions déjà croisée précédemment, mais de très loin, se révélera être précisément Harihar. Ce plan seul suffit à nous le faire deviner.

Par sa *parole*, puis par son *mouvement* et enfin par son *regard*, la femme sur le toit nous aura donc conduits jusqu'à Harihar. Hostile et hautaine, elle est en position de surplomb vis-à-vis de Harihar et le restera pendant toute la durée du film. Harihar au contraire est à découvert, exposée au milieu de la cour aux propos humiliants des autres femmes, répercutés dans toute la profondeur de l'espace et selon plusieurs axes, à l'intersection desquels se trouve la femme sur le toit.

Cette femme semble décidément tenir les rênes du plan. Elle occupe le devant de la scène, tandis que ses interlocutrices sont soit réduites à une petite silhouette dans l'encadrement d'une lointaine

Commérages sur un toit. Au premier plan, la femme qui étend son linge peste contre les larcins d'une petite fille dont nous allons bientôt découvrir la mère, plus bas dans la cour. Le dernier photogramme (plan rapproché sur la mère) est extrait du plan suivant.

fenêtre, soit carrément hors-champ. Avant même de diriger les mouvements de caméra par ses propres déplacements, elle obstrue la profondeur de l'espace en étendant son linge.

Tirant à petits coups secs sur le drap, elle fait alternativement apparaître et disparaître son interlocutrice à l'arrière-plan, comme pour affirmer davantage encore son autorité sur le cadre.

L'intégration narrative

Dans les années dix, l'intégration du plan dans une logique narrative impliquant une manière spécifique de découper les scènes et de cadrer une action, fait passer le cinéma de l'ère du « tableau » à celle du « plan ». Les textes qui suivent témoignent de cette mutation : ils sont écrits par ceux qui l'ont vécue directement. Parmi eux, un grand producteur des années 1900, Charles Pathé, et un des premiers cinéastes-théoriciens du montage en Union Soviétique, Lev Koulechov.

Economie du récit : la séquence du revolver

Lev Koulechov, « La Bannière du cinématographe » (1920), in Fr. Albera, E. Khokhlova, V. Posener, *Koulechov et les siens*, Ed. du Festival international du film de Locarno, 1990, pp. 80-81.

« En cherchant à réduire la longueur de chacune des composantes du film, la longueur de chaque fragment pris séparément et filmé depuis le même endroit, les Américains ont trouvé le moyen de résoudre les scènes compliquées en ne filmant que l'instant du mouvement qui est indispensable à l'action, et l'appareil est placé de telle façon que le spectateur appréhende et perçoive le sens du mouvement en question le plus clairement et le plus simplement possible. Prenons pour plus de clarté une scène quelconque. Par exemple, un acteur ouvre le tiroir d'un bureau, trouve un revolver et songe à se tuer. Si l'on filme la scène de telle manière qu'on puisse voir à l'écran à la fois le bureau, la pièce entière et le personnage de pied en cap, mais que l'essentiel de la scène soit l'ouverture du tiroir, le revolver et le visage de l'acteur, les yeux du spectateur ne pourront se focaliser et erreront à la surface de l'écran, à la recherche du geste de l'acteur nécessaire à l'instant donné. Si, à l'inverse, nous découpons la scène selon les moments qui la composent : 1) la main ouvre le tiroir, 2) le revolver, 3) le visage de l'acteur, nous pourrons montrer chaque instant à l'échelle de l'écran tout entier, ce qui sera directement perçu par le spectateur (puisque son regard ne sera pas à tout instant distrait par quelque chose d'inutile dans l'image). (…) Autrement dit, pour produire une impression, l'important n'est pas tant le contenu de chaque fragment que la façon dont ils s'enchaînent, dont ils sont combinés. »

Conseils avisés aux opérateurs

Charles Pathé, « Etude sur l'évolution de l'industrie cinématographique française », avec ce sous-titre : « *Destinée aux auteurs, scénaristes, metteurs en scène, opérateurs et artistes* », (mai 1918), in Marcel L'Herbier, *Intelligence du cinématographe* (1946), Editions d'Aujourd'hui, Paris, 1977, pp. 225-226.

« L'opérateur intelligent et aimant sa profession peut être un collaborateur extrêmement précieux pour le metteur en scène et l'artiste. Outre qu'il lui incombe la responsabilité d'une photographie impeccable, c'est lui qui doit indiquer les conditions dans lesquelles les effets d'éclairage peuvent être obtenus avec un maximum de résultat. Il peut encore, ainsi que je le disais en parlant des artistes, suppléer à leur inexpérience en ralentissant ou en augmentant la vitesse du défilage de la bande négative, si l'acteur, entraîné par l'action, oublie qu'il doit donner à son jeu une interprétation différente selon qu'il est plus ou moins éloigné de l'objectif.

C'est toujours l'opérateur qui décide du foyer de l'objectif à employer pour tel tableau qui peut gagner beaucoup en puissance selon que, fait sur un même plan, on a utilisé un objectif de 30, 40, 50 ou de 80 millimètres. Ce détail ne retient généralement pas assez l'attention de tous ceux qui concourent à la production d'un négatif lorsqu'on opère les plans américains et, plus encore, les premiers plans qui sont plus rapprochés.

Le résultat est tout à fait différent à l'écran selon qu'on a employé des objectifs d'angles et de foyers différents. Chaque fois que la chose est possible, il y a un gros avantage à *remplir* l'écran avec la seule portion des ou du personnage qui traduit la pensée de l'auteur. Exemple : l'homme est à son bureau, il écrit ou il pense. C'est une grosse faute que de négliger de distraire de l'image la partie de ce bureau, voire la table sur laquelle il écrit, si ces accessoires ne sont pas indispensables.

Les grands décors et les ameublements complets ne doivent être montrés que juste le temps nécessaire à créer une atmosphère de vérité qui persiste suffisamment dans l'imagination du spectateur, lorsque vous les supprimez du cadre, pour lui faire comprendre, d'une façon plus saisissante, la psychologie de l'action et pour revenir, par des fondus variés, sur les seuls interprètes qui ont la tâche d'extérioriser la pensée de l'auteur. Ils le feront avec d'autant plus de puissance sur le spectateur qu'ils occuperont sur l'écran une place *plus importante non seulement en hauteur mais en surface*. Les bustes suffisent presque toujours et les pieds, encore moins que les genoux, ne doivent paraître s'ils ne sont pas indispensables. (...)

L'opérateur, s'il ne développe pas lui-même ses négatifs, doit assister à ce travail qui doit être fait *tous les jours*, c'est-à-dire au fur et à mesure de leur exécution et non en bloc. Dans bien des cas il pourra signaler dès le lendemain au metteur en scène des tableaux insuffisants au point de vue photographique que l'on pourra refaire avec un minimum de frais. Il doit enfin ne pas se fier entièrement à sa mémoire et noter, sur un calepin, toutes les circonstances particulières, d'éclairage, notamment, qui ont accompagné la prise de vue de chaque tableau. »

Les 400 coups
– premier jour de tournage

Production "LES FILMS DU CARROSSE"
10, rue Hamelin – Paris 16°
Tél. KLE 54-60 – Poste 62

Film "LES QUATRE CENTS COUPS"

FEUILLE DE SERVICE

LUNDI 10 NOVEMBRE 1958

1er jour de tournage

HORAIRE : 9 H – 18 H (1 H pour déjeuner)
RENDEZ-VOUS : 9 H – 82, rue Marcadet – Paris 18° – 6ème étage au fond de la cour
Décor : chez Loinod – Jour
Nos à Tourner : 18 – 34 – 49

réserve : 52 – 53

Acteurs	Rôles	Costumes	Prêt à Tourner
Claire MAURIER	Gilberte Loinod	0 – 1 + tablier manteau I	9 H
Albert REMY	Julien Loinod	0	9 H
Jean-Pierre LEAUD	Antoine Loinod	0 – 2	9 H
Daniel COUTURIER	Bertrand Mauricet	prévu	10 H

Accessoires

lit d'Antoine praticable (draps teintés)
cartable Antoine – La Punition –
1 paire de chaussettes trouées – café chaud – bol – pain – beurre – cuillère –
chemise sale – phare anti-brouillard – cartable Mauricet – 1 poste de radio –
lit des parents praticable – 1 tub – serviettes éponge – savon – torchon.

MACHINISTES – ELECTRICIENS

Rendez-vous à 8 H

Feuille de service du premier jour de tournage des *400 coups* : acteurs et accessoires requis, programme de la journée (tournage des plans des séquences 18, 34 et 49).

Premier jour de tournage du premier long métrage de François Truffaut. Nous sommes le lundi 10 novembre 1958. Le plan de tournage prévoit 44 jours de tournage, jusqu'au 3 janvier 1959. La feuille de service et le rapport de production permettent de retracer cette journée.

18. INTERIEUR LOINOD - JOUR

Sommeil d'Antoine réveillé brutalement par sa mère "Allons dépêche-toi. Il est huit heures moins le quart".

Peut-être en arrière-plan sonore (chambre d'échos)

Que je dégradasse les murs de la classe

Que tu dégradasses,....

(Ou bien il suffira qu'il range sa punition dans son sac en la regardant.)

Antoine boit son café hâtivement tandis que son père entre dans la cuisine en baillant, une paire de chaussettes à la main.

M. LOINOD : Y a presque plus de chaussettes autour de mes trous

Mme LOINOD : Achetez-en d'autres. Elles sont fichues celles-là.

M. LOINOD (à son fils) : Comment t'es encore ici, toi

Antoine manque de s'étouffer en finissant son café

Extrait du scénario : séquence 18. Dans le film, Antoine se souvient de la punition en essuyant la buée de la glace.

RAPPORT PRODUCTION

LUNDI 10 NOVEMBRE 1958 - 1er jour de tournage   9 H - 18 H

Immeuble 82, rue Marcadet - Paris 18° - 6ème étage au fond de la cour

Décor : chez Julien Loinod

8 H   - Installation et montage du matériel au 6ème étage.

9 H à 9 H 30 - Mise en place du plan N° 18

9 H 30 - Répétition avec les acteurs - tirage des lignes - montage matériel lumière

10 H 30 - Suite réglage lumière

11 H   - Répétition en lumière - avec acteurs.

11 H 30 - On tourne le 18/1 - son témoin

11 H 40 - Fin du plan 18/1
Changement décor pour cuisine - 18/2 - réglage

12 H   - Départ déjeuner

13 H 15 - Reprise réglage dans cuisine - suite

13 H 25 - Répétition avec les acteurs

13 H 35 - on tourne le 18/2

13 H 50 - Fin du plan - son seul
et préparation contre-champ

14 H   - Répétition du 18/3 - et suite réglage

14 H 25 - Répétition pour le jeu

14 H 35 - On tourne le 18/3

15 H   - Fin du plan 18/3 - plan rapproché sur Antoine

15 H 20 - On tourne le 18/4

15 H 25 - Fin du plan 18/4

Changement axe et séquence - préparation du 34^A

16 H 15 - Fin du plan 34^{A1} - et mise en place plan rapproché

16 H 35 - Répétition du 34^{A2}
16 H 45 - On tourne le 34^{A2} (boucles cassent à la caméra pour la 2ème fois)

16 H 50 - Fin du plan 34^{A2}
changement axe pour le 34^{A3}

17 H 15 - On tourne le plan 34^{A3}

17 H 20 - fin du plan 34^{A3}
préparation du plan 34^{A4}
pose d'un rail - réglage lumière

17 H 50 - suite réglage lumière - plombs sautent sur l'étage.
Obligation prévenir E.d.F.

Répétition jeu pour le lendemain

18 H   - Fin du tournage

Le rapport de production nous permet de suivre toutes les étapes de la journée de tournage : répétitions, pose d'un rail de travelling, changement de décor, etc.

Les 400 coups

Dans le plan qui précède celui-ci, Antoine Doinel a réussi, en se cachant sous un pont, a échapper au surveillant de la maison de redressement où on l'avait placé. Ce plan est donc la « suite » de l'évasion. Pourtant la durée du plan finit par en épuiser l'enjeu immédiat et le possible suspense. Truffaut aurait pu filmer un enfant aux abois, jetant derrière lui un regard inquiet, se couchant dans un fossé à la moindre alerte. Il n'a rien fait de tout cela.

Le long d'une route de campagne, Antoine Doinel court d'une foulée régulière. La caméra l'accompagne dans un long travelling d'une grande fluidité. Aucune voiture, aucune présence humaine ne viennent faire diversion, détourner notre attention en faisant irruption dans le cadre. D'abord bouché par des haies, l'espace se dégage peu à peu : des prés, des arbres, des fermes défilent paisiblement devant nous sous un

ciel égal. On n'entend que le bruit régulier des pas sur le sol tapissé de feuilles et le chant clairsemé des oiseaux.

Ce qui frappe dans ce plan est son extraordinaire régularité. Le paysage défile ; Jean-Pierre Léaud court au centre du cadre. Si nous savions où il va, ou s'il

Dans le plan qui précède (photogramme 1), Antoine Doinel (Jean-Pierre Léaud) a réussi à échapper à un surveillant. Il court à présent le long d'une route de campagne.

accomplissait une action délimitable dans le temps, nous pourrions peut-être anticiper la fin du plan. Mais cette course immobile pourrait aussi bien ne jamais finir. Plus le plan dure, plus sa fin paraît improbable. Le temps disparaît. Reste le corps : nous n'assistons pas à l'évasion du personnage Antoine Doinel, nous voyons le corps de Jean-Pierre Léaud investi dans un effort physique réel, nous voyons son corps au travail. L'enfant est filmé de profil ou de trois-quart face, son regard toujours braqué vers le bord droit du cadre. En le filmant ainsi, Truffaut lui refuse l'horizon. L'espace est conquis foulée après foulée, mètre par mètre, il brûle sous ses semelles, mais il n'est jamais *en avant* de lui. En le filmant de profil, en le maintenant au centre du cadre, Truffaut enferme son personnage dans le *présent*, entre un passé déjà évanoui et un futur toujours repoussé au-delà du cadre.

Le montage et le plan

Les textes qui suivent sont le témoignage de l'opposition entre « cinéastes du plan » et « cinéastes du montage », les uns sensibles à la dynamique propre du plan, les autres recherchant davantage les effets de sens du côté de l'articulation ou de la collision des fragments. Cinéaste du montage par excellence, Eisenstein n'a cessé d'en approfondir le concept. Pour Andréi Tarkovski, le montage est au contraire dicté par la temporalité de chaque plan.

Montage dans le plan

S.M. Eisenstein, « Hors cadre » (1929), Cahiers du cinéma n°215, sept. 1969, p. 25.

[Suit une critique des films d'art antérieurs à la Révolution.]

« Le cadre n'est nullement un élément du montage. Le cadre est une cellule du montage. Par-delà le bond dialectique, le cadre/le montage appartiennent à une même série. Par quoi donc se caractérise le montage et son embryon – le cadre ? Par la collision. Par le conflit des deux fragments placés côte à côte. Par le conflit. Par la collision. (…) Conflit à l'intérieur du cadre – montage potentiel, brisant sa cage rectangulaire dans une augmentation d'intensité et projetant son conflit, au montage, dans les chocs entre les plans montés ; (…) Et s'il fallait vraiment trouver une comparaison pour le montage, on devrait comparer la phalange des fragments du montage – les « cadres » – à la série d'explosions d'un moteur à combustion interne se multipliant en dynamique de montage par les « poussées » d'une automobile en pleine course ou d'un tracteur.

Mais sont « cinématographiques » : le conflit des directions graphiques (des lignes), le conflit des plans (entre eux), le conflit des volumes, le conflit des masses (volumes, remplis d'une intensité lumineuse différente), le conflit des espaces, etc. Conflits qui n'attendent qu'une poussée d'intensification pour éclater en couples de fragments antagonistes. Du gros et petit plan. De séquences de différentes orientations graphiques. De séquences traitées en volumes et de séquences traitées à plat. De fragments sombres et clairs, etc. (…) Même chose en ce qui concerne le problème de la théorie de l'éclairage. Ressentir l'éclairage comme la collision du courant lumineux avec l'obstacle, semblable au jet d'une lance d'incendie frappant un objet, ou au vent se heurtant à une silhouette – cela doit mener à une utilisation de l'éclairage repensée (…) ».

Temporalité du plan

Andrei Tarkovski, *Le Temps scellé*, Ed. de l'Etoile/Cahiers du cinéma, Paris, 1989, pp. 109-111.

« Je ne peux être d'accord avec ceux qui prétendent que le montage est l'élément déterminant du film. Autrement dit, que le film serait créé sur une table de montage, comme l'affirmaient dans les années 20 les partisans du « cinéma de montage », Koulechov et Eisenstein.

On dit souvent, à juste titre, que tout art nécessite un montage, c'est-à-dire une sélection, un assemblage et un ajustement d'éléments. Mais l'image cinématographique naît pendant le tournage et elle n'existe qu'à l'intérieur du plan. C'est pourquoi, en tournant, je suis si attentif à l'écoulement du temps dans le plan, pour essayer de le fixer et de le reproduire avec précision. Le montage articule ainsi des plans déjà remplis par le temps, pour assembler le film en un organisme vivant et unifié, dont les artères contiennent ce temps aux rythmes divers que lui donne la vie. (…)

« Les raccords de plan organisent la structure du film mais ne créent pas, contrairement à ce qu'on croit d'habitude, le rythme du film. Le rythme est fonction du caractère du temps qui passe à l'intérieur des plans. Autrement dit, le rythme du film n'est pas déterminé par la longueur des morceaux montés, mais par le degré d'intensité du temps qui s'écoule en eux. Un raccord ne peut déterminer un rythme (ou alors le montage n'est qu'un effet de style), d'autant plus que le temps dans un film s'écoule davantage en dépit du raccord qu'à cause de lui. C'est ce flux du temps, fixé dans le plan, que le réalisateur doit saisir à l'intérieur des morceaux posés devant lui sur la table de montage.

Le temps fixé dans le plan dicte au réalisateur le principe de son montage. Et les morceaux qu'on ne peut monter ensemble sont ceux où le caractère du temps est trop radicalement différent. Ainsi, on ne peut pas plus monter du temps réel avec du temps conventionnel, qu'on ne peut raccorder ensemble deux tuyaux de diamètres différents.

Cette consistance du temps qui s'écoule dans un plan, son intensité ou au contraire sa dilution, peut être appelée la pression du temps. Le montage est alors une forme d'assemblage de petits morceaux faite en fonction de la pression du temps que chacun renferme. »

Contre le plan autonome !

S.M. Eisenstein, « Eh ! de la pureté du langage cinématographique » (1934), in Cahiers du cinéma n°210, mars 1969.

« On trouve dans les films de bons plans isolés, mais dans ces conditions les qualités picturales et les mérites personnels de l'image se transforment en leur propre contraire. Non maintenus par la pensée du montage et par la composition, ils deviennent jouet esthète, but en soi. Meilleures sont les images du film, et plus le film se rapproche d'un fatras décousu de jolies phrases, d'une vitrine de boutique de bric-à-brac, de l'album de timbres-poste enluminés. »

Playtime

C'est un des plans les plus frappants de *Playtime*, qui en compte pourtant beaucoup. Sa composition rappelle celle de la *Flagellation du Christ* peinte en 1455 par Piero della Francesca. Le cadre est nettement divisé en deux moitiés : à gauche un aplat gris, sur lequel se détachent deux personnages à l'avant-plan ; à droite un couloir en perspective, vertigineux de géométrie et de profondeur, presque irréel de netteté. Comme pour nous prouver qu'il ne s'agit pas d'un trompe-l'œil, un employé apparaît tout au fond du couloir et le parcourt d'un bout à l'autre, jusqu'à rallier l'avant-plan.

Le choc produit par ce plan est d'autant plus violent, que rien dans les plans qui précèdent ne nous avait préparé à une telle démesure. L'interphone au contraire semblait fermer la salle d'attente sur la droite. A chaque fois, Tati a donc pris soin de couper le décor exactement à la naissance du couloir, sans livrer aucun indice de sa présence hors-champ. Le vertige produit par ce plan tient donc à son hétérogénéité radicale avec l'espace qu'il prolonge pourtant bel et bien. C'est un retournement en bonne et due forme des principes du « raccord » : au lieu de construire un espace homogène en raccordant des fragments de décor discontinus, Tati crée une discordance d'espaces à partir d'un décor unique savamment sectionné au montage.

Dans ce plan décidément riche, deux scènes parallèles se jouent dans chacune des moitiés d'écran : la moitié gauche, avec son portier d'un autre âge qui s'en va scruter l'horizon du couloir en prenant le temps de fumer sa cigarette, semble moquer gentiment la très solennelle moitié droite (contraste également sonore : d'un côté les marmonnements du portier, de l'autre le battement de métronome des chaussures claquant sur le dallage).

Les gestes d'apaisement du por-

Dans un plan saisissant, Jacques Tati filme l'attente d'un personnage que nous voyons avancer vers nous, dans un interminable couloir filmé frontalement. Le premier photogramme est tiré du plan précédent.

tier en direction de Hulot («Oh là là!») nous sont également adressés par Jacques Tati cinéaste. Avertissement au spectateur pressé : *Playtime* prendra le temps qu'il faut. Message d'autant plus provocant que ce plan est totalement «improductif», puisque l'homme que nous avons attendu si longtemps se contente d'installer Hulot dans une autre salle d'attente avant de disparaître. Mais c'est justement à la productivité du récit comme à celle des sociétés industrialisées que s'en prend Tati dans *Playtime*.

Passage à l'acte

Que se passe-t-il au moment précis où se crée le plan ? Comment la pensée et le désir d'un cinéaste s'incarnent-ils en un geste précis, en un acte concret de mise en scène et de montage ? Les cinéastes Jacques Rivette et Johan van der Keuken (auteur de documentaires et photographe) décrivent ce processus, également analysé par Alain Bergala dans les films de Jean-Luc Godard des années 80.

La disposition et l'attaque

Alain Bergala (cinéaste, critique, enseignant de cinéma), « The Other Side of the Bouquet » (1992), in *Nul mieux que Godard*, Collection essais, Ed. Cahiers du cinéma, Paris, 1998, pp. 105-106.

« Dans la mise en scène et le filmage de tout plan, il y a deux opérations mentales conjuguées, pas toujours faciles à démêler dans la chronologie réelle du tournage : la *disposition* et l'*attaque*. Quand un cinéaste de fiction entreprend de filmer un plan, il lui faut toujours, (et peu importe pour le moment lequel de ces deux gestes est chez lui directeur), *disposer* ses figures dans l'espace, et décider de la façon dont il va *attaquer* cet espace et ce motif, c'est-à-dire sous quel angle, à quelle focale et à quelle distance. Dans la plupart des films, où les auteurs s'efforcent de s'effacer devant l'histoire qu'ils ont à raconter, l'attaque va toujours dans le sens de la disposition, et ce sens commun est à la fois le vecteur de la lisibilité du plan et le garant de la bonne foi du contrat avec le spectateur. Pourtant, l'un des plaisirs du cinéaste, que ne connaît pas le metteur en scène de théâtre, c'est que son art, comme celui du peintre, lui permet de dissocier la disposition et l'attaque.

Si l'on en croit Robert Bresson, qui a pratiqué magistralement ce plaisir pervers tout au long de son œuvre, Auguste Renoir aurait déclaré un jour à Matisse : « *Je peins souvent les bouquets du côté où je ne les ai pas préparés.* »

Au cinéma, pareillement, Godard peut disposer dans le même espace une jeune femme, une table, sur la table un bouquet de fleurs, et attaquer au dernier moment son plan de telle sorte que le bouquet de fleurs vienne masquer partiellement le visage de la femme. Cette pulsion de ne pas attaquer le plan (ou la scène), dans le sens où il l'a disposé, cette propension à disjoindre de plus en plus fréquemment la disposition et l'attaque sont, même s'il n'en parle jamais, ce qui aura travaillé le plus obstinément, parfois en secret, parfois ouvertement, l'acte cinématographique godardien des années quatre-vingt. »

Caresser, frapper, jouer

Johan van der Keuken, *Aventures d'un regard*, Cahiers du cinéma, Paris, 1998, pp. 184-185.

« *Le patinage et la caméra.* Pour moi, la caméra a trois aspects : l'aspect instrument de musique où l'on joue sa partie, où l'on improvise, où l'on intervient directement ; le deuxième est la boxe, avec la force de frappe de la caméra ; et la caresse, car les petits mouvements qui effleurent la peau des êtres et des choses m'intéressent beaucoup. J'ai senti ces dernières années que j'avais appris beaucoup de choses sur la caméra. Autrefois je faisais de nombreux décadrages qui ne font pas arriver un nouveau plan, mais une autre variation du même plan. Où on se dit : il y aura toujours du hors-champ, toujours quelque chose à côté du cadre, à explorer. Le cadre est donc toujours quelque chose d'approximatif. Aujourd'hui, j'ai de plus en plus le sentiment que ce n'est plus tellement moi qui dirige le cadre, mais que j'ai simplement à suivre la caméra. Elle vole, et je vole derrière elle. Quand j'étais enfant, nous avions des patins en bois qui se nouaient très solidement avec des cordes aux chaussures. Quand j'ai fini par savoir bien patiner, j'ai senti que les patins devaient être presque flottants au-dessous des pieds. C'est pareil avec la caméra. J'ai senti, ces dernières années, que je pouvais la laisser planer. Je suis aussi beaucoup plus décontracté avec la mise au point, je laisse l'image floue un moment, puis je rattrape très doucement. C'est comme si elle pesait moins, et c'est peut-être ce battement dont on parlait, qui laisse le rythme des choses venir sur la caméra. »

Du corps en morceaux

Jacques Rivette, s'entretenant avec Serge Daney dans le film de Claire Denis *Jacques Rivette, le veilleur* (1990), fait part de sa répugnance à découper le visage.

« Je n'ai pas envie de le séparer, de le morceler. Je sais qu'il y a beaucoup de cinéastes qui, de façon consciente ou inconsciente, au contraire, fonctionnent sur cette idée du corps morcelé – pas seulement le visage, ça peut être la main, ça peut être n'importe quelle partie du corps – mais il est évident que c'est le visage la partie privilégiée du corps morcelé, et je sais que quand ça m'arrive de me mettre derrière la caméra, de me mettre devant l'œilleton, j'ai toujours tendance – après parfois je m'en veux – à reculer, à reculer parce que le visage tout seul... J'ai envie de voir les mains et si je vois les mains j'ai quand même envie de voir le corps, j'ai toujours envie de voir le corps dans son entier et du coup également celui de la personne par rapport au décor et la ou les personnes par rapport auxquelles ce corps agit, réagit, bouge, subit, etc.

C'est lié tout simplement à ce que je n'ai pas le tempérament, le goût ou le talent de faire un cinéma de montage, c'est un cinéma au contraire qui fonctionne davantage sur la notion de continuité des événements pris plus ou moins dans leur globalité. »

Où est la maison de mon ami ?

Sortie de classe : après une séquence dans la salle de classe, au cours de laquelle le maître d'école a annoncé à un écolier (photogramme 1) qu'il serait renvoyé au prochain oubli de son cahier de devoirs, un plan nous montre la sortie de l'école. Le dernier photogramme est extrait du plan suivant.

Après la séquence d'ouverture du film dans une salle de classe, Abbas Kiarostami filme la sortie de l'école. On peut distinguer trois grandes phases dans ce plan : Le cadre fixe met d'abord à l'honneur une pièce de machine agricole d'un magnifique bleu turquoise. L'engin agit comme un aimant sur les enfants qui, sortant en courant de l'école, viennent se masser autour de lui et remplir le cadre. En avance sur le personnage principal, le cadre attend qu'il surgisse dans le champ pour « s'activer » lui-même : lorsqu'Ahmad et Nématzadé apparaissent à l'arrière-plan et tournent à gauche, la caméra abandonne machine et enfants pour suivre les deux garçons au moyen d'un panoramique combiné avec un zoom.

Lorsque les deux enfants s'arrêtent, le cadre se stabilise de nouveau. On comprend alors que l'usage du zoom a permis au cinéaste de recadrer les enfants de telle sorte que deux piliers encadrent précisément la composition. Dans cette troisième phase, le cadre n'est plus bâti autour d'un noyau (premier temps), et il ne se soumet pas non plus à la dynamique des personnages (deuxième temps) : il définit une structure stable à l'intérieur de laquelle les

deux enfants viennent s'inscrire. Ce moment du plan fait penser à une vue Lumière. Les enfants regardent un âne dont la tête dépasse de son box ; ils nous tournent le dos, comme les enfants du bassin des Tuileries filmés près d'un siècle plus tôt. Le cadre clôture nettement l'espace, mais se laisse traverser par le désordre d'événements imprévisibles : une poule qui déboule sans crier gare et vient battre de l'aile contre la tête d'un enfant qui venait justement de s'approcher (on imagine volontiers ce surgissement soigneusement organisé : un assistant attendant le signe de Kiarostami pour propulser le volatile dans le cadre et malmener au passage un des garçons) ; un enfant qui vient bousculer Ahmad et Nématzadé sur leur droite. Les deux garçons se lancent à sa poursuite ; persistant dans sa nouvelle structure, le cadre laisse filer ses occupants sans broncher, laissant à un nouveau plan le soin de rattraper les enfants dans leur course.

Ethique du plan

Qu'est-ce qui, pour un cinéaste, rend un plan moralement
acceptable ? Quelles considérations éthiques
dictent son rapport à l'espace, aux acteurs, au réel ?
Un critique et futur cinéaste, Jacques Rivette,
prend position dans un texte célèbre.
Les cinéastes Johan van der Keuken et Roberto Rossellini,
figure majeure du néo-réalisme italien, s'expliquent
sur leurs méthodes de tournage.

La « presque » maîtrise du réel

Johan van der Keuken, *Aventures d'un regard*,
p. 43.

« Tout le problème de la composition filmique, fictionnelle, c'est de résoudre un certain nombre de thèmes qui, dans la réalité, ne sont pas du tout résolus. Le cadrage, l'affirmation du point de vue sur le réel, c'est donc déjà positif, ça rend au moins possible une communication sur le réel, et une définition du réel, c'est au moins parler, ce qui est préférable à ne pas parler. Mais d'autre part, cela donne l'illusion que le réel social et politique peut être maîtrisé dans l'acte de la composition. Ce point de vue sur le réel est donc très ambigu et c'est pour ça qu'il doit être détruit en même temps. Souvent chez moi le cadrage est suivi d'un déplacement qui ne va pas vraiment vers un cadrage nouveau, mais qui justement déplace quelque peu les choses, et qui indique que chaque point de vue est ambigu, arbitraire, et qu'il est aussi suivi d'un nombre infini de points de vue. Il y a donc grossièrement deux sortes de déplacement du cadre : il y en a un qui cherche à l'intérieur du même plan à ajouter une nouvelle information – c'est donc plusieurs cadres dans le même plan – et un autre qui pour moi est assez personnel et qui consiste à conserver *presque* le même point de vue mais en déplaçant légèrement les relations spatiales à l'intérieur du cadre, pour précisément accentuer ce « presque ». Il y a beaucoup de choses qui sont pareilles, et qui en même temps sont *presque* pareilles. Montrer le réel consiste donc à multiplier ces « presque ».

Il faut souligner autre chose, c'est que ce déplacement du cadre se fait toujours dans le même axe, sur la surface plane. Il est important pour moi de souligner que le cinéma c'est la projection d'une illusion lumineuse sur une surface plane. »

Contre le découpage technique

Roberto Rossellini, *Le cinéma révélé*, *Champs Contre-champs*, Flammarion, Paris, 1984, pp. 70-71 (Propos recueillis par Maurice Scherer et François Truffaut, Cahiers du cinéma n°37, juilllet 1954)

« — *On vous a fait la réputation de tourner sans découpage, en improvisant constamment...*
— C'est, partiellement, une légende. Je possède, présent à l'esprit, la « continuité » de mes films ; de plus j'ai des notes plein mes poches ; cependant je dois avouer que je n'ai jamais bien compris la nécessité d'avoir un découpage si ce n'est pour rassurer les producteurs. Quoi de plus absurde que la colonne de gauche : plan américain — travelling latéral — la caméra panoramique et cadre... C'est un peu comme si un romancier faisait un découpage de son livre : à la page 212, un imparfait du subjonctif, puis un complément d'objet indirect...etc.! Quant à la colonne de droite, ce sont les dialogues ; je ne les improvise pas systématiquement ; ils sont écrits depuis longtemps et si je les donne au dernier moment c'est que je ne désire pas que l'acteur — ou l'actrice — s'y accoutume. Cette domination sur l'acteur, j'y parviens encore en répétant peu et en tournant vite, sans trop de prises. »

Une affaire de morale

Jacques Rivette, « De l'abjection », Cahiers du cinéma n°120, juin 1961, p. 54-55

« (...) on a beaucoup cité, à gauche ou à droite, et le plus souvent assez sottement, une phrase de Moullet : la morale est affaire de travellings (ou la version de Godard : les travellings sont affaire de morale) ; on a voulu y voir le comble du formalisme [...]. Voyez cependant, dans *Kapo* [Gilles Pontecorvo, 1960], le plan où Riva se suicide, en se jetant sur les barbelés électrifiés ; l'homme qui décide, à ce moment, de faire un travelling-avant pour recadrer le cadavre en contre-plongée, en prenant soin d'inscrire exactement la main levée dans un angle de son cadrage final, cet homme n'a droit qu'au plus profond mépris. On nous casse depuis quelques mois avec les faux problèmes de la forme et du fond, du réalisme et de la féérie, du scénario et de la « misenscène », de l'acteur libre ou dominé et autres balançoires ; disons qu'il se pourrait que tous les sujets naissent libres et égaux en droits ; ce qui compte, c'est le ton, ou l'accent, la nuance, comme on voudra l'appeler — c'est-à-dire le point de vue d'un homme, l'auteur, mal nécessaire, et l'attitude que prend cet homme par rapport à ce qu'il filme, et donc par rapport au monde et à toutes choses : ce qui peut s'exprimer par le choix des situations, la construction de l'intrigue, les dialogues, le jeu des acteurs, ou la pure et simple technique, « indifféremment mais autant ». (...) Faire un film, c'est donc montrer certaines choses, c'est en même temps, et par la même opération, les montrer par un certain biais ; ces deux actes étant rigoureusement indissociables. »

Tableau comparatif

Le tableau qui suit comporte quatre colonnes. Dans la première colonne nous reprenons les définitions proposées par Vincent Pinel (*Vocabulaire technique du cinéma*, Nathan, Paris, 1996). Dans la colonne suivante nous indiquons le terme anglais/américain équivalent proposé par le même auteur. Les définitions contenues dans les deux dernières colonnes proviennent de deux sources américaines : Ira Konigsberg (*The Complete Film Dictionnary*, 2nd edition, Penguin Reference, New-York, 1997) ; David Bordwell et Kristin Thompson (*Film Art, an Introduction*, 3rd edition, McGraw-Hill, Inc, 1990).

Source **Pinel**	**Equivalent anglais** (*source* **Pinel**)
Plan général Plan couvrant un vaste ensemble qui situe le décor construit dans son cadre	**Extreme long shot**
Plan d'ensemble Plan cadrant l'ensemble du décor construit	**Long shot**
Plan américain Plan coupant les personnages à mi-cuisse traduit par *medium close shot*	**« Plan américain »**
Plan demi-ensemble ou **plan large** Plan mettant en place les personnages dans leur milieu en cadrant une bonne partie du décor.	–
	Medium long shot
Plan moyen Plan présentant les personnages en pied	**Full shot**
Plan rapproché taille ou **plan taille**	**Medium shot**
Plan rapproché Plan cadrant le(s) personnage(s) au niveau de la taille (plan rapproché taille) ou de la poitrine (plan rapproché poitrine)	**Medium close-up**
Gros plan a) Plan isolant un visage, généralement cadré à la hauteur du nœud de cravate, ou un autre détail du corps. b) Plan cadrant tout ou partie d'un petit objet (close-up).	**Close-up**
Très gros plan Plan cadrant une partie de visage, ou un détail du corps : un œil, une bouche, un doigt, etc.	**Extreme close-up**

Insert et plan de coupe

L'insert comme le plan de coupe rendent compte du caractère intrusif d'un plan à l'intérieur d'une séquence. Ira Konigsberg définit l'«insert shot» comme un plan de détail inséré au montage à l'intérieur d'une séquence. Vincent Pinel définit l'insert uniquement par l'échelle (il s'agit d'un «très gros plan découvrant une partie d'un corps ou d'un objet»), mais insiste en revanche sur la valeur d'insert du plan de coupe, défini comme un «plan, généralement bref, *inséré* [je souligne] dans la continuité d'un autre plan ou introduit entre deux plans pour faciliter la transition de l'un à l'autre».

Source **Konigsberg**	*Source* **Bordwell/Thompson**
Paysage ou décor vu à très grande distance	La figure humaine est à peine visible, vues de paysage
Personnages intégrés à un environnement qui reste prépondérant	
Personnage cadré à partir des genoux	
–	
Synonyme de *plan américain*	Même distance que le plan américain, mais avec un objet et non un corps
–	
(non mentionné)	
Personnage cadré à partir de la taille	
Personnage cadré à mi-poitrine (on dit aussi *medium close shot*)	Figure cadrée à partir de la poitrine
Tête et épaules du personnage ou une partie du corps	Le plan montre seulement la tête, ou les mains, ou les pieds, ou un petit objet
Le plan isole une partie du visage, un petit objet, un détail	

Du plan général au gros plan

Il n'est pas toujours facile de nommer précisément la taille d'un plan à un instant donné. Les définitions proposées ont été bâties empiriquement : elles sont le reflet d'un usage, et ne rendent bien évidemment pas compte de tous les cas de figures possibles. Elles peuvent néanmoins faciliter la description d'un plan, en donner une première approximation satisfaisante. Pour être plus précis, il faut renoncer aux termes « prêt-à-porter ».

1. *Intolérance*, de D.W. Griffith.

2. Valentina Cortese, Rossano Brazzi, Humphrey Bogart et Ava Gardner dans *La Comtesse aux pieds nus*, de Joseph L. Mankiewicz.

3. Ernest Borgnine, Scott Brady, Ward Bond, Joan Crawford et Ben Cooper dans *Johnny Guitar*, de Nicholas Ray.

4. Catherine Deneuve et Françoise Dorléac dans *Les Demoiselles de Rochefort*, de Jacques Demy.

5. Rita Hayworth dans *La Dame de Shanghai*, d'Orson Welles.

Bibliographie

Ouvrages de référence

VINCENT PINEL, *Vocabulaire technique du cinéma*, Nathan, Paris, 1996.

JEAN-LOUP PASSEK, *Dictionnaire du cinéma*, Paris, Larousse, 1992 (on trouvera notamment un historique concernant les différents formats d'image, et une classification utile des effets spéciaux employés au cinéma).

DAVID BORDWELL et KRISTIN THOMPSON (traduit de l'américain par Cyril Beghin), *L'art du film : une introduction*, De Boeck Université, Bruxelles, 1999. (chapitres clairs et synthétiques consacrés à l'image, à la mise en scène, au montage).

JACQUES AUMONT, ALAIN BERGALA, MICHEL MARIE, MARC VERNET, *Esthétique du film*, Nathan, Paris, 1983 (ouvrage universitaire plus difficile).

MICHEL CHION, *Le son au cinéma*, Editions de l'Etoile/Cahiers du cinéma, Paris, 1994.

Sur le cinéma des premiers temps, les vues Lumière et les « tableaux », on pourra consulter :

NOËL BURCH, *La lucarne de l'infini*, Nathan université, Paris, 1990.

JACQUES DESLANDES et JACQUES RICHARD, *Histoire comparée du cinéma*, 2 : du cinématographe au cinéma, 1896-1906, Casterman, 1968.

Réflexions théoriques : le plan, le cadre, le hors-champ, la profondeur de champ

ANDRÉ BAZIN, « peinture et cinéma », « évolution du langage cinématographique », « montage interdit », in *Qu'est-ce que le cinéma ?*, Cerf, Paris, 1985. (textes fondateurs, souvent commentés et critiqués par la suite).

JEAN MITRY, *Esthétique et psychologie du cinéma*, tome 1, Editions Universitaires, Paris, 1963 (ouvrage volumineux : on peut se reporter plus précisément aux chapitres où Mitry étudie les différents paramètres du plan, critiquant au passage les thèses d'André Bazin).

PASCAL BONITZER, *Le Champ aveugle*, Ed. Cahiers du cinéma, Paris, 1999.

PASCAL BONITZER, *Décadrages, peinture et cinéma*, Cahiers du Cinéma, Editions de l'Etoile, Paris, 1995. (réflexions et analyses centrées sur le concept de plan).

Sur le hors-champ : NOËL BURCH, « Nana ou les deux espaces », in *Praxis du cinéma*, Folio-Essais, Gallimard, Paris, 1986 (à travers une analyse de film, Noël Burch définit deux catégories de hors-champ, sur lesquelles Deleuze reviendra dans *L'image-mouvement*).

« Poétique du hors-champ », Revue belge du cinéma n°31.

PHILIPPE DUBOIS (dir), *Le Gros Plan*, Revue belge du cinéma n°10, hiver 1984-1985 (on trouvera ces deux ouvrages dans des bibliothèques spécialisées ou universitaires).

GILLES DELEUZE, *L'image mouvement*, Minuit, Paris, 1983 (plus particulièrement les chapitres 2, 3 et 6, consacrés au plan, au montage, au gros plan de visage).

JEAN-LOUIS COMOLLI, « Technique et idéologie », Cahiers du cinéma n°229 à 231, 233 à 235, 241. (Comolli revient notamment sur les textes de Mitry et Bazin. Les thèses de Comolli doivent être resituées dans le contexte des années 70, mais elles ont joué un rôle important et salutaire dans la réflexion sur les enjeux et les méthodes de l'historien du cinéma).

SERGUEI M. EISENSTEIN, « Histoire du gros plan » in *Mémoires/3, Œuvres 6*, 10/18, Union Générale d'Editions, Paris, 1983 (du gros plan en littérature. on ne trouvera pas cet ouvrage en librairie : chercher dans les bibliothèques spécialisées).

Du cinéaste au travail

BILL KROHN, *Hitchcock au travail*, Cahiers du cinéma, Paris, 1999.

ALAIN BERGALA, *Nul mieux que Godard*, Collection essais, Ed. Cahiers du cinéma, Paris, 1998 (une partie de ce livre consacré aux films de Jean-Luc Godard, porte spécifiquement sur la création des plans).

ROBERTO ROSSELLINI, *Le cinéma révélé*, Editions de l'Etoile/Cahiers du cinéma, Paris, 1984.

JEAN RENOIR, *Entretiens et propos*, Ramsay poche cinéma, Editions de l'Etoile/Cahiers du cinéma, Paris, 1979.

SERGUEÏ M. EISENSTEIN, Vladimir Nijny, *Leçons de mise en scène*, FEMIS, Paris, 1989 (ouvrage passionnant où Eisenstein propose des exercices de mise en scène très concrets à ces étudiants, et débat avec eux).

ANDREI TARKOVSKI, *Le Temps scellé*, Editions de l'Etoile Cahiers du cinéma, Paris, 1989.

ROBERT BRESSON, *Notes sur le cinématographe*, Folio, Gallimard, Paris, 1975.

JOHAN VAN DER KEUKEN, *Aventures d'un regard*, Cahiers du cinéma, Paris, 1998.

Le monde d'A.K, propos d'Abbas Kiarostami, Cahiers du cinéma juillet-août 1995.

Et deux films (quand des cinéastes parlent des cinéastes et les font parler) : *Louis Lumière* (Eric Rohmer, 1968) (de nombreuses vues Lumière commentées par Henri Langlois et Jean Renoir) ; *Jacques Rivette, le veilleur* (Claire Denis, 1990 - avec Serge Daney) (un cinéaste parle de son travail sous l'œil d'une cinéaste).

Deux études de scénarios (leur lecture nécessite un certain effort, en raison de leur précision et du va-et-vient entre le texte et l'image que de telles études impliquent) :

GÉRARD LEBLANC et BRIGITTE DEVISMES, *Le double scénario chez Fritz Lang*, Armand Colin, Paris, 1991.

OLIVIER CURCHOD et CHRISTOPHER FAULKNER, *La Règle du jeu, scénario original de Jean Renoir*, coll. Cinéma, Nathan, Paris, 1999.

En pratique : le son, la lumière, la caméra (entretiens et témoignages)

« Méthodes de tournage : Rivette, Rohmer, Straub-Huillet », Cahiers du cinéma n°364, octobre 1984.

« Les mouettes du pont d'Austerlitz : entretien avec François Musy, par Alain Bergala », Cahiers du cinéma n°355 (le son dans les films de Jean-Luc Godard).

PETER ETTEDGUI, *Les directeurs de la photo*, La compagnie du livre, 1999 (témoignages de chef-opérateurs, notamment celui de Subrata Mirtra, chef-opérateur de Satyajit Ray pour *Pather Panchali*).

PETER ETTEDGUI, *Les chefs décorateurs*, La compagnie du livre, 2000.

BENOÎT PEETERS, JACQUES FATON, PHILIPPE DE PIERPONT, *Storyboard, le cinéma animé*, Yellow now, 1992 (un historique sur l'utilisation du dessin dans la préparation des films, suivi de petits entretiens avec des cinéastes sur le rôle du dessin dans la conception de leurs plans ; textes éclairés par de nombreux dessins et documents).

CLAUDINE NOUGARET, SOPHIE CHIABAUT, *Le son direct au cinéma*, FEMIS, Paris, 1997.

SYLVETTE BAUDROT, ISABEL SALVINI, *la script-girl*, FEMIS, Paris, 1989.

ALBERT JURGENSON, SOPHIE BRUNET, *Pratique du montage*, FEMIS, Paris, 1990 (entretien avec le monteur, entre autres, de *Mon oncle d'Amérique* d'Alain Resnais, et *Hôtel Terminus* de Marcel Ophüls).

« Genèse d'une caméra, par Jean-Pierre Beauviala et Jean-Luc Godard », Cahiers du cinéma n°348-349 (entretien animé entre un cinéaste et un créateur de caméras).

« Le numérique entre immédiateté et solitude », table ronde avec Alain Cavalier, Caroline Champetier, Raymond Depardon, Thierry Frémaux, Thierry Jousse et Agnès Varda, Cahiers du cinéma n°559, juillet-août 2001 (des cinéastes parlent de leur recontre avec les mini-caméras DV : en quoi modifie-t-elle leur pratique de cinéaste, leur rapport à l'image, au réel ?).

Table

Remerciements :
Marie Vercambre (Musée Grévin), Nicolas Azalbert, Cyril Beghin,
le Centre Audio-Visuel et Informatique (CAVI) de l'université Paris III,
Laurent Mannoni, Laurent Le Forestier, Caroline Oury et tout
particulièrement Stéfani de Loppinot, Pauline Le Diset, Gabrielle Hachard,
Nathalie Bourgeois et Naïri Nahapétian.
Remerciements particuliers à Madeleine Morgenstern, Eva, Joséphine et Laura
Truffaut pour les documents de travail de François Truffaut (fonds BIFI).

L'édition de cet ouvrage a été coordonnée par Claudine Paquot.
Conception graphique : studio Nathalie Baylaucq.
Couverture : Jean-Pierre Léaud et Patrick Auffay dans Les 400 coups de François
Truffaut. Photo André Dino/MK2 - Jacques Tati dans Playtime. Les Films de mon
Oncle.

Crédits photographiques :
Photo Marie Fouque 7 – Coll. Vincent Pinel 9, 39, 64 – Universal Studio
10, 12-13, 16 – Alain Venisse/MK2 15 – Hargood Norman DR : 16 - Hélène
Jeanbrau /Ciné-Tamaris 21, 91 bas – Le films de mon Oncle : 26 – Le films de
mon Oncle/coll. Vincent Pinel 81 - Celluloïd Dreams 28 – Celluloïd
Dreams/coll. Jacques Petat 84-85 – Faces Distribution 30 – Marions Film 36-37
– Bibliothèque nationale de France 50 – Cinémathèque française 51 – Musée
Grévin 52 – Coll. BIFI 53, 62-63, 65, 67 – Coll. Emmanuel Siety 66 – MK2/coll.
BIFI 74-75 - Films du Carrosse/coll. Jacques Petat 76-77. United Artists 90 bas
– Republic Studios 91 haut – Columbia/coll. Vincent Pinel 91 bas.

Extrait de « Jacques Rivette, le veilleur », page 83 : © AMIP.

Photogravure : W Digamma, Neuilly-Plaisance – France
Impression : Milanostampa, Farigliano – Italie
© Cahiers du cinéma 2001
ISBN 2.86642.291.0
CNDP : ISBN 2 240.01.349.4
Réf : OBC 22912
Printed in Italy